350 retseptov diety Diukan
Author: *Dukan, Pierre,*

проверено,
всё получится

рецепты блюд на пару

Москва

Издательский дом «Бонниер Пабликейшенз»

Издательство «Эксмо»

2010

УДК 641/642
ББК 36.99
П78

оригинальная идея редакции журнала «Гастрономъ»

макет Михаил Аникст
фото и обложка Екатерина Моргунова
текст Нина Борисова

П78 Книга Гастронома Рецепты блюд на пару. – М .: Эксмо, 2010. – 240 с .: ил. – (Книга Гастронома)

ISBN 978-5-699-40963-1

«Рецепты блюд на пару» продолжают новую серию «Книг Гастронома» о вкусной еде, которая помогает нам быть здоровыми и энергичными. У паровой кухни масса плюсов. Продукты сохраняют максимум натуральных свойств: форму, цвет и вкус; в целости остаются витамины; не образуются канцерогенные вещества. Кроме того, готовить на пару можно без капли жира. Но главное – это еще и очень вкусно!

Откройте нашу книгу – и вы увидите, что на пару можно сделать множество интересных и новых для нас блюд. Вас ждут острые креветки в пиве и рыбные роллы, гамбургер в азиатском стиле и пряная ягнятина с кешью и имбирем, китайские паровые булочки и бостонский хлеб, «курица-призрак» и рисовые шарики, карри из белой рыбы и лосось в пяти специях, морковь по-корейски и фальшивое картофельное пюре, пудинг из хурмы и торт «Шоколадный трюфель»... А наши привычные, любимые щи, вареники, фаршированная щука, винегрет и даже бефстроганов в пароварке получаются еще вкуснее и еще полезнее!

И, конечно, мы не изменили нашему главному принципу: проверили каждый рецепт на кухне «Гастронома», чтобы у вас тоже все получилось. И чтобы вы были здоровы!

ISBN 978-5-699-40963-1

Содержание

1. Поддайте пару!

Готовить на пару люди научились, быть может, даже раньше, чем жарить на огне. Если вы когда-нибудь окажетесь в Новой Зеландии, обязательно съездите на остров Мокойя, в деревню Вакареварева. Там местные жители испокон веков готовят пищу в льняных сетках или мешках, подвешивая их над гейзерными источниками. Науке неизвестно, откуда идея использовать для приготовления еды горячий пар, поднимающийся над кипятком, пришла в голову народам, гейзеров в глаза не видевшим. Но вся Азия варит на пару уже не одно тысячелетие – на территории Китая археологами найдена утварь времен неолита, напоминающая пароварки...

У варки на пару есть множество плюсов и почти нет минусов. Начнем с положительного. Обработанные паром продукты сохраняют максимум натуральных свойств: от формы и цвета до текстуры и вкуса. Ну и, конечно, главный аргумент в пользу пароварения – это польза для здоровья. Ведь готовится еда при температуре не выше 100 °C, то есть большая часть микроэлементов и витаминов остается в целости и сохранности. Продукт непосредственно не соприкасается с водой – значит, полезные вещества не переходят в отвар. В пароварке ни при каких условиях не образуются канцерогенные вещества. На пару можно готовить без капли жира – значит, без какой-либо угрозы для талии! Паровая диета прописана при многих заболеваниях сердечно-сосудистой системы и пищеварения, но это не значит, что здоровому человеку она ни к чему. Поскольку пар сохраняет в нашем завтраке, обеде и ужине полезные вещества, то, сделав этот способ приготовления одним из основных, вы получите отлично работающий иммунитет, чистую здоровую кожу, красивые густые волосы, здоровые крепкие ногти, а также массу энергии и хорошее настроение.

Что же касается минусов пароварения – это на самом деле не минусы, а отсутствие привычки. Мы сами, взрослые люди, очень уж привыкли к поджаренной в масле корочке (или хотя бы корочке, запеченной под грилем) и приучаем к этому своих детей. И чистый, ничем не перегруженный вкус натурального продукта иногда кажется нам недостаточным. Предлагаем вам начать с эксперимента. Купите хорошую курицу – по возможности не бройлера, а цыпленка, выращенного на свободном выпасе. Разрежьте его на порционные части и сварите в пароварке любого типа (мы подробно рассказываем о них на стр. 14). Рядом с курицей положите пару небольших морковок и картофелин. Не солите, не перчите, не приправляйте маслом. Сварили? Пробуйте! Вы удивитесь, насколько вкусно получилось. А ведь это самое простое, на что способны пароварки.

Откройте нашу книгу – и вы увидите, что на пару можно приготовить множество интересных и новых для нас блюд, в том числе самой древней паровой кухни – восточной. Но и наши привычные, любимые щи, вареники, фаршированная щука, винегрет и даже бефстроганов в пароварке получаются еще вкуснее и еще полезнее!

2.

Арсенал

Если вы хотите готовить постоянно, а не время от времени, постарайтесь обзавестись всеми перечисленными здесь предметами. Даже если некоторые из них покажутся вам поначалу лишними, постепенно вы поймете, что без них невозможно назвать свою кухню «хорошо оборудованной».

1

2

3

7

8

9

10

15

16

17

18

19

20

21

22

28

29

30

31

32

33

34

35

36

1. Кастрюля
2. Сотейник
3. Миска
4. Сковорода
5. Форма для запекания
6. Дуршлаг
7. Электрическая пароварка
8. Бамбуковая пароварка
9. Кастрюля-пароварка
10. Складная металлическая пароварка
11. Разделочная доска
12. «Циновка» для роллов
13. Пергамент
14. Скалка

15. Кухонные ножницы
16. Пинцет
17. Длинные деревянные шпажки
18. Нож для цедры
19. Мерная ложка
20. Кулинарный шпагат
21. Кондитерский мешок
    с разными насадками
22. Мельница для перца
23. Мясорубка
24. Универсальная терка
25. Прихватки
26. Таймер
27. Кулинарные кольца

28. Маленький нож
29. Большой нож
30. Нож для филе
31. Нож для разделки рыбы
32. Нож для чистки овощей
33. Силиконовая лопаточка
34. Венчик
35. Кулинарная кисточка
36. Деревянная лопаточка
37. Ступка с пестиком
38. Шумовка
39. Ложка с длинной ручкой
40. Половник
41. Блендер

4   5   6

11   12   13   14

23   24   25   26   27

37   38   39   40   41

3. Полезные советы

Чтобы вкусно и без проблем готовить на пару, нужно соблюдать некоторые правила и знать кое-какие нюансы. Одно из главных правил: укладывая любые продукты в емкость пароварки или на решетку, не располагайте их слишком близко друг к другу – у пара должны оставаться «ходы» для циркуляции. В 95 случаях из 100 в пароварку для приготовления продуктов наливается вода. Но остались еще пять! В некоторых рецептах воду заменяют сухим белым вином, сухим хересом или пивом. Иногда используют бульон: особенно хорош для этого ароматный бульон из сухих грибов. Иногда в воду добавляют ароматизаторы: соусы (соевый, рыбный, вустерский), специи (лавровый лист, корицу, бадьян, имбирь), пряные травы (тимьян, розмарин, тархун, орегано), цитрусовые, сельдерей, лук или чеснок. Замороженные овощи можно готовить в пароварке не размораживая – только прибавьте время. Замороженную рыбу небольшими кусками и морепродукты – тоже можно, но очень внимательно следите за ними, чтобы они готовились равномерно. А вот размораживать что бы то ни было в пароварке мы вам не рекомендуем – испортите продукт.

При варке овощей на пару следите за их цветом – он должен скорее усилиться, чем поблекнуть (особенно это касается зеленых и листовых овощей). Вкуснее всего овощи получаются, если они целые или нарезаны крупными кусками. Но готовятся они дольше, чем нарезанные: скажем, целая морковка среднего размера будет готова через 25–30 мин., а нарезанная средними кубиками – через 7–10 мин. Листовые овощи вроде разделенной на листья пекинской капусты готовятся не дольше 10 мин., а более нежные – шпинат, мангольд – от 3 до 7 мин.

Режьте овощи одинаковыми кусками, чтобы они приготовились одновременно. Овощи, имеющие более жесткий стебель (брокколи, цветная капуста, спаржа, сельдерей), кладите стеблем в центр, чтобы жесткая часть готовилась быстрее.

Вкуснее всего получается приготовленная на пару птица на косточках с кожей. В таком виде она сохраняет максимум сока и аромата. Если вы по каким-то соображениям кожу не едите, снимите ее после приготовления, а не до него – точно так же, как лишний жир. Жир этот во время приготовления не проникает в мясо – лишь сохраняет его сочность. Хотя время приготовления по сравнению с филе, конечно, увеличивается. Мясо вкуснее, если готовится на косточке целым куском. Или же, наоборот, нарежьте мясо очень тонко и готовьте буквально несколько минут.

Кладите рыбу и морепродукты в пароварку, пока вода в ней еще не слишком горячая – иначе есть опасность, что горячий пар быстро приготовит эти нежные продукты снаружи, а внутри они останутся сырыми. И готовьте при средней температуре, без бурного кипения.

Что бессмысленно готовить на пару, так это в первую очередь пасту. Нет, в первую очередь яйца в скорлупе, а пасту – во вторую. По правилам приготовления любых макарон или лапши требуется вполне конкретное соотношение количества пасты и воды, а именно 1 литр воды на 100 г пасты (это на 1 порцию). А если вас четверо? Пароварок такого объема не выпускают, а сооружать ее дома просто ни к чему – паста прекрасно сварится и в кастрюле.

3. Полезные советы

Если вы варите крупу не «откидным» способом (то есть не в большом количестве воды, чтобы потом откинуть на сито), то она должна впитать определенный объем жидкости и при этом не превратиться в размазню. Варить рис, гречку и прочие крупы без воды, просто на пару в электрической пароварке нельзя. Крупу нужно положить в любую цельную емкость, пригодную для пароварки, залить необходимым по рецепту количеством воды, а потом поместить в пароварку. Мы советуем вам замачивать крупы заранее, за пару часов – тогда они варятся быстрее и делаются более рассыпчатыми. Нельзя замачивать только рис для ризотто – иначе вы лишитесь всего крахмала, необходимого для кремовости блюда. Если хотите сварить крупу на пару без воды, замочите ее на 8–10 ч, поместите в сито или в полотенце, укрепите над кастрюлей с кипящей водой и закройте крышкой. Так в Азии уже много веков варят рис, а в Африке – кускус. Продающийся у нас в магазинах кускус и булгур предварительно пропарены, поэтому замачивать их ни к чему.

Теперь о безопасности. Если вы готовите в электрической пароварке, ставьте ее так, чтобы над ней и с боков было много свободного пространства, не позволяющего пару нигде конденсироваться. Будьте очень осторожны, вынимая полный поддон с соками, – лучше подождите 10–15 мин. Обязательно пользуйтесь прихватками, когда открываете крышку пароварки и вынимаете оттуда емкости. Открывайте крышку от себя и ни в коем случае не наклоняйтесь над пароваркой – ожоги от пара очень болезненны! Нагревательные элементы электрических пароварок следует время от времени чистить от накипи, а все остальное – мыть согласно инструкции. Все металлические пароварки моются обычным образом или в посудомоечной машине. Перфорированные стенки и дно корзины (точно так же как бамбуковые корзинки) легче всего мыть щеткой с мыльной водой. Только бамбуковые пароварки категорически нельзя мыть в посудомоечной машине!

В пароварках, где можно готовить на нескольких уровнях, действуйте по следующему принципу: продукты, которые готовятся дольше (мясо, птица), нужно класть на нижний уровень пароварки, ближний к воде – там температура максимальная. На следующий уровень можно поместить овощи и рыбу. На третьем уровне температура обычно минимальная – там можно готовить листовые овощи и фрукты, а также просто разогревать продукты или блюда (например, хлеб и рис). Если вы готовите в пароварке, не выключающейся при помощи таймера, есть вероятность того, что вы чем-то увлечетесь, забудете о своем обеде-ужине, вся вода в кастрюле выпарится... дальнейшее вы наверняка представляете и без нас. Без в той или иной степени оплавившейся кастрюли не обходится ни одна кулинарная судьба. Чтобы сохранить посуду, продукты и собственные нервы, сделайте элементарную вещь. Положите на дно кастрюли с водой несколько монеток. Когда вода закипит, они начнут дребезжать. А когда вода будет на грани выкипания, дребезжание прекратится. Наступившая тишина станет для вас сигналом: долить воду!

Помимо приготовления пароварка хороша для разогрева или «оживления» некоторых блюд. Вот, например, зачерствевший хлеб, помещенный на 3–5 мин. в пароварку, становится похож на только что испеченный – правда, проделать этот фокус можно лишь однажды.

4. Варианты

Мы живем в XXI веке, и нынче в моде встроенные пароварки. Они подключены к канализации и водопроводу, оснащены фильтрами и термощупами... Нет пределов совершенству! Многие духовки и микроволновки имеют функцию обработки паром. В них есть таймеры и измерители давления, которые делают процесс приготовления автоматическим. Это очень удобно, но стоит недешево и ест много электроэнергии. Пароварки, представленные на этой странице, гораздо ближе к жизни. Самое простое приспособление для варки на пару – это обычная кастрюля с крышкой и жаропрочное сито или дуршлаг, металлический или силиконовый. Можно также закрепить при помощи бечевки или резинки на кастрюле полотенце и готовить в нем. В кастрюлю следует налить столько воды, чтобы до продуктов оставалось минимум 3–4 см.

Кастрюля-пароварка

Тот же простейший вариант приготовления на пару – только слегка улучшенный: обычная кастрюля + емкость для продуктов с перфорацией. Крышка закрывается почти герметично, а при хранении внутренний «дуршлаг», не занимая лишнего места, находится внутри кастрюли. Вариант такой пароварки – так называемые мантоварки, или мантышницы: многоуровневые алюминиевые кастрюли, в которых можно готовить не только манты, но и любые другие блюда.

Складная металлическая пароварка

Универсальный «вкладыш» в любую кастрюлю, устроена как цветок с раскрывающимися лепестками, которые при хранении складываются внутрь. В центре – стержень с кольцом, за которое пароварку с продуктами легко вынуть из кастрюли. Ножки у нее невелики, и в кастрюлю, куда она установлена, много воды не нальешь. В такой пароварке обычно готовят «быстрые» продукты: овощи, фрукты, зелень. Мыть ее легко – щеткой с моющим средством или в посудомоечной машине.

Бамбуковая пароварка

В Азии бамбуковыми корзинками пользуются несколько тысячелетий. Для их использования нужен вок или кастрюля с расширяющимися стенками, по диаметру чуть больше, чем сама корзина. Туда наливается вода – чтобы она едва касалась края корзинки. Внутрь устанавливается одна или несколько бамбуковых корзин – одна на другую. Верхняя закрывается крышкой. После этого под воком включается огонь. Необходимо иметь минимум две бамбуковые корзины: одну – для овощей, круп и теста, другую – для белковых продуктов. Поскольку бамбук впитывает в себя запахи, имеет смысл класть продукты не на дно корзинки, а на подкладку из листьев, или на пергамент, или на блюдце. Корзины легче будет мыть (щеткой с мыльной водой), и ко дну ничто не прилипнет. Никогда не мойте бамбуковые корзинки в посудомоечной машине! Новую корзину следует помыть, поставить на кастрюлю или вок с кипящей водой и обрабатывать паром 30 минут.

Электрическая пароварка

Имеет в основании емкость с нагревающим элементом, на которую устанавливаются от одной до трех корзин с крышкой. Всегда есть поддон (поддоны), куда собираются стекающий сок и конденсат. Покупая электрическую пароварку, проверьте, есть ли в комплекте корзина для риса, в которой вы сможете готовить не только крупы, но и супы, рагу, карри и прочие блюда в соусе или отваре. Полезны режимы «турбо», позволяющий готовить быстрее за счет усиленной циркуляции пара, и «мягкой варки» – при температуре 80 °C. Удобны функции поддержания блюда теплым после приготовления или отсрочки времени приготовления: уложили продукты в пароварку, выставили время с отсрочкой и ушли на работу. Потом вернулись – вас ждет горячий ужин.

Салаты и закуски

Казалось бы, где пароварка и где салаты? Ну конечно же, мы не предлагаем вам готовить на пару зеленые салатные листья и огурцы, хотя китайцы поддержали бы такой совет. А вот овощи для салатов вроде картофеля, морковки, свеклы, спаржи, горошка получаются в пароварке очень сочными и яркими – сам бог велел использовать их в тех блюдах, с которых мы начинаем трапезу.

Конвертики из цукини с овечьим сыром

Сыры из овечьего молока обладают особым вкусом и ароматом, который может варьироваться от самого мягкого до очень острого. Вкус цукини, напротив, обычен и неярок. Так что, завернув в него молодой овечий сыр, вы получите достаточно мягкую палитру. А вот если вы купили выдержанный манчего, то даже обертка из цукини не скроет его выразительного вкуса. Советуем подать к нему розовое вино или сухое красное, не слишком танинное.

1 средний длинный цукини
200 г овечьего сыра
3 ст. л. оливкового масла «экстра
  вирджин»
1 ч. л. лимонного сока
щепотка сушеного базилика
морская соль, свежемолотый
  черный перец

1. Нарежьте цукини вдоль ломтиками толщиной 5 мм. Поместите на 1 мин. в пароварку.
2. Овечий сыр нарежьте ломтиками толщиной 2 см. Смешайте оливковое масло, лимонный сок, сушеный базилик, соль и перец и смажьте ломтики сыра.
3. Оберните сыр полосками цукини крест-накрест, при необходимости закрепите деревянными зубочистками. Поместите в пароварку на 5–10 мин.
   При подаче не забудьте удалить зубочистки!

4 порции
Подготовка: 10 мин.
Приготовление: 5–10 мин.

Кстати
Вместо зубочисток вы вполне можете воспользоваться зеленью с плотными стеблями – например, розмарином, тархуном или сельдереем. Если стебель неострый, как у сельдерея, сначала проткните дырочку в закуске, а потом вставьте в нее стебель.

Винегрет   Это чудесное блюдо как появилось на нашем столе более чем два века назад, так и задержалось, лишь несколько видоизменяясь в зависимости от времени года, назначения или появления новых технологий. Тот самый случай, когда малыми средствами достигается отменный результат – как во французском кино. Не зря и название у него французское!

3 маленькие свеклы
3 маленькие морковки
5 маленьких картофелин
средняя горсть квашеной капусты
2 средних крепких соленых огурца
4 стебля зеленого лука
1 ст. л. нерафинированного
    подсолнечного масла или
    оливкового масла «экстра
    вирджин»

Для заправки:
1 маленькая луковица шалота
5–6 ст. л. нерафинированного
    подсолнечного масла или
    оливкового масла «экстра
    вирджин»
1/2 ч. л. сахара
1 ст. л. лимонного сока
1/2 ч. л. любой горчицы по вашему
    вкусу
морская соль

4–6 порций
Подготовка: 1,5 ч
Приготовление: 20 мин.

1. Тщательно вымойте овощи щеткой и, не очищая, поместите в пароварку. Готовьте при интенсивном кипении до мягкости овощей, 50–70 мин. Причем если картофелины должны быть совершенно мягкими, морковь и свекла могут быть чуть твердыми в центре.
2. Нарежьте мелко зеленый лук, огурец – маленькими кубиками (при желании, если кожица грубая, можно очистить). Порубите капусту.
3. Обдайте готовые овощи холодной водой, остудите. Очистите от кожуры и нарежьте небольшими кубиками одинакового размера. Поместите свеклу в отдельную посуду и полейте маслом, затем соедините все ингредиенты.
4. Приготовьте заправку для винегрета: мелко нарежьте лук-шалот, влейте масло, добавьте лимонный сок, соль, горчицу и сахар, взбейте все вилкой. Заправьте винегрет, дайте ему 10–15 мин. настояться в холодильнике или при комнатной температуре и подавайте.

Кстати
Вы можете добавлять в винегрет другие ингредиенты, чтобы разнообразить его. Например, очень вкусен винегрет с солеными грибами (вместо капусты и огурцов) – лучше всего брать грузди и рыжики. Сытным его сделает красная фасоль. Европейский вариант – с добавлением каперсов и оливок. Вместо соли в заправку можно положить 1–2 филе анчоуса – это придаст винегрету пикантности.

Салат из морской форели с имбирно-грейпфрутовой заправкой   Этот салат – идеальный ужин для тех, кому хочется не потерять с возрастом стройность фигуры. За счет авокадо и рыбы он достаточно сытный, но не слишком калорийный. Да и все калории в нем – из разряда полезных. Главное – найти хорошую свежую рыбу и не переварить ее.

400 г филе морской форели
   без кожи
1 крупный розовый грейпфрут
1 крупное очень спелое авокадо
горсть пророщенной золотистой
   фасоли
2 горсти зеленого салата-микс
2 маленьких лайма
2 см свежего корня имбиря
1 ст. л. жидкого меда
1 ч. л. семян зиры
3 ст. л. масла виноградных косточек
соль, свежемолотый черный перец

4–6 порций
Подготовка: 20 мин.
Приготовление: 10 мин.

1. Обжарьте семена зиры на сухой сковородке, потряхивая, 2 мин. Затем растолкните в ступке вместе с солью и перцем.

2. Натрите получившейся смесью филе форели со всех сторон. Положите филе в пароварку и готовьте 6–8 мин. За это время 1 раз переверните. В центре рыба должна остаться не вполне готовой.

3. Авокадо очистите от кожуры и косточки, нарежьте кубиками. Полейте соком половины лайма.

4. С грейпфрута острым ножом срежьте кожуру с белым слоем так, чтобы была видна мякоть. Вырежьте филе по долькам между пленками. Сохраняйте весь выделяющийся при разделке грейпфрута сок, а потом отожмите сок из оставшихся пленок с мякотью.

5. Натрите на терке имбирь, снимите с 1 лайма мелкой теркой цедру, выжмите сок из этого лайма и оставшейся половины. Смешайте сок грейпфрута, лаймов, цедру, имбирь, мед и масло виноградных косточек. Приправьте солью и перцем.

6. Смешайте зеленый салат-микс, пророщенную фасоль, филе грейпфрута и авокадо, разложите по тарелкам. Готовую форель очень острым ножом нарежьте ломтиками, выложите поверх салата, полейте заправкой и подавайте.

Кстати
Такой салат можно делать с самой разной рыбой и разными цитрусовыми. Например, прекрасно будет сочетаться морская белая рыба (треска, окунь, чилийский сибас) с помело или кислыми апельсинами.

Зеленый салат с рулетиками из рыбы и яиц

Зеленые салаты – удивительная вещь. Они вкусны и радостны даже в самых простых вариантах. А добавить немного времени и фантазии – и еда на каждый день превращается в блюдо от кутюр.

2 большие горсти зеленого салата-микс

1 крупное очень спелое авокадо

1–2 лайма

3 яйца

по 200 г белой и красной рыбы

3 ст. л. сливочного сыра

3–4 ст. л. сливок жирностью 33%

1/2 ч. л. кукурузного крахмала

маленький пучок петрушки

1 ч. л. порошка карри

соль, свежемолотый черный перец

оливковое масло «экстра вирджин»

сливочное масло для смазывания

2–4 порции

Подготовка: 30 мин.

Приготовление: 15 мин.

1. Разведите крахмал 1 ч. л. холодной воды, добавьте 1 ст. л. сливок, тщательно перемешайте. Сразу же взбейте не слишком сильно яйца со сливками. Посолите и поперчите по вкусу.

2. Посыпьте рыбу порошком карри, вотрите его пальцами в мякоть. Отставьте, пока готовится омлет.

3. Смажьте сливочным маслом любую цельную емкость, пригодную для пароварки. Налейте столько яичной массы, чтобы получился тонкий слой. Готовьте в пароварке при несильном кипении, пока яйца не схватятся, примерно 10 мин. Аккуратно выньте омлет, перевернув на кусок пленки. Если у вас осталась яичная масса, взбейте ее еще раз и повторите процесс приготовления.

4. Теперь положите в пароварку рыбу и готовьте, пока она не станет разделяться на хлопья, 5–10 мин., в зависимости от толщины филе. Порубите рыбу довольно мелко.

5. Измельчите петрушку, смешайте сначала с сыром, потом с рыбой. Добавляя понемногу оставшиеся сливки, взбивайте массу вилкой или ручным блендером до однородности. Фарш при этом должен оставаться густым. Приправьте его солью и перцем.

6. Смажьте получившимся фаршем омлет. В другом варианте можете смешать сыр с петрушкой и выложить на омлет полосками красную рыбу, белую рыбу и сыр (как у нас на фото). Сверните омлет рулетом. Очень острым ножом нарежьте на куски толщиной 1–2 см.

7. Заправьте салат-микс оливковым маслом, соком лайма, солью и перцем. Авокадо очистите от кожуры, удалите косточку, мякоть нарежьте произвольно и сбрызните соком лайма. Разложите салат по тарелкам, поверх выложите кусочки авокадо и рулетики из омлета с рыбой. Подавайте немедленно.

3   **6**

Кстати

Для восточного колорита добавьте в яичную массу немного рисового вина и соевого соуса. Рыбу для начинки смажьте пастой чили, а при приготовлении фарша добавьте темного кунжутного масла и кокосового молока.

Салат из языка с орехами и зеленой фасолью

Очень неплохая идея – сварить язык на пару. Благодаря естественной оболочке он получится сочный и мягкий – то, что нужно для оригинального салата с фасолью и кедровыми орешками. А вот майонез мы бы посоветовали приготовить самим, тем более что в главе «Соусы» предлагается классический французский рецепт (см. стр. 214).

**Начинайте готовить за 3 ч
до подачи**

1 телячий язык весом 1–1,2 кг
200 г зеленой стручковой фасоли
2 зубчика чеснока
50 г очищенных кедровых орехов
4–5 веточек кинзы
3–4 ст. л. домашнего майонеза
морская соль, свежемолотый
   черный перец

6 порций
Подготовка: 2–2,5 ч
Приготовление: 20 мин.

1. Тщательно вымойте язык щеткой, срежьте лишнюю соединительную ткань, поместите язык в пароварку. Готовьте до мягкости, 1,5–2 ч, затем обдайте язык ледяной водой и очистите от кожи, сняв ее чулком. Остудите язык.
2. У фасоли удалите кончики. Если стручки слишком длинные, нарежьте их небольшими кусочками. Поместите фасоль на верхний уровень пароварки за 15 мин. до готовности языка.
3. Остывший язык нарежьте соломкой. Чеснок мелко порубите. Отделите листочки кинзы от стеблей.
4. Соедините ломтики языка, фасоль, чеснок и кинзу, приправьте солью и перцем по вкусу, заправьте майонезом.
5. Готовый салат посыпьте кедровыми орехами и украсьте листиками кинзы.

Кстати
Кедровые орехи при желании можно обжарить на небольшом огне на сухой сковороде – они от этого станут более ароматными и приятными на вкус. Кроме кедровых орехов вы можете приправить салат грецкими орехами или миндалем, а также кешью. Всегда лучше покупать свежие, сырые орехи и обжаривать их на сухой сковороде или на противне в духовке.

Шляпки шампиньонов с креветками и ветчиной   Champignon в переводе с французского означает не что иное, как «гриб». На самом деле это не простой гриб, а самый распространенный и заслуженный в кулинарном мире. Потому что прекрасно сочетается и с мясом, и с овощами, и с сыром, и со сливками – всего не перечесть. Креветки с ветчиной великолепно вписываются в этот перечень. Большое блюдо шляпок, наполненных сочным и ароматным соусом, бесспорно, украсит любой стол.

16 крупных шампиньонов
16 сырых тигровых креветок
100 г вареной ветчины
100 г сливочного сыра
2 желтка
1 зубчик чеснока
несколько веточек петрушки
    и укропа
маленький пучок шнитт-лука
соль, свежемолотый черный перец

4 порции
Подготовка: 20 мин.
    (без размораживания)
Приготовление: 30 мин.

1. Протрите грибы влажной тряпочкой, аккуратно отделите шляпки от ножек, ножки мелко порубите. Измельчите чеснок. Мелко нарежьте ветчину. Измельчите петрушку, укроп и шнитт-лук.
2. Если креветки замороженные, заранее разморозьте их на верхней полке холодильника в дуршлаге, установленном в миске. Очистите креветки от панцирей, удалите темную кишечную вену, мясо мелко нарежьте.
3. Соедините измельченные ингредиенты, добавьте яичные желтки и сливочный сыр, слегка посолите, приправьте перцем и перемешайте.
4. Наполните шляпки шампиньонов полученной смесью и уложите в пароварку. Готовьте 30 мин.

Кстати
Вместо вареной ветчины вы можете взять сыровяленый хамон или прошутто – и вполне обычное блюдо тут же превратится в деликатес.

Для варки на пару вам нужен не слишком крахмальный круглый картофель с плотной мякотью, который хорошо держит форму. Почти все сорта картофеля с розовой и красной кожурой прекрасно подходят: Симфония, Романо, Кондор, Жуковский ранний... Сваренный на пару, он прекрасно подойдет и для пюре, и для салатов.

Теплый салат из молодого картофеля и спаржи

Спаржа имеет славу самого изысканного деликатеса. Каждому, кто хоть раз ее готовил, известно, что «царица овощей» требует к себе самого пристального внимания – главное вовремя снять ее с огня. Поэтому мы и воспользуемся пароваркой, как самым щадящим средством.

10–12 мелких молодых картофелин
250 г зеленой спаржи
1 лимон
2–3 веточки мяты
3 ст. л. оливкового масла «экстра вирджин»
1 ч. л. семян кунжута
соль

4 порции
Подготовка: 25 мин.
Приготовление: 10 мин.

1. Картофель тщательно вымойте щеткой, разрежьте пополам и поместите в пароварку. Готовьте 15–17 мин.
2. Очистите нижние концы спаржи от грубой кожицы, разрежьте стебли на 2 части и поместите в пароварку к картофелю. Готовьте 3–4 мин. и переложите овощи на тарелку.
3. Срежьте тонкие полоски цедры с лимона и отложите. Выжмите сок из половины лимона. Взбейте оливковое масло с лимонным соком и солью и полейте овощи.
4. Прогрейте на сухой сковороде семена кунжута. Отделите листочки мяты от стеблей. Посыпьте салат цедрой, мятой и кунжутом и сразу подавайте.

Кстати
Для того чтобы ничто не помешало вам насладиться нежным вкусом спаржи, рекомендуется очистить концы стеблей от грубых волокон. Чистить спаржу лучше всего маленьким острым ножом или специальным ножом для чистки овощей. Начинайте примерно от середины, по направлению от головки к концу стебля, снимая тонкую стружку, затем освежите нижний срез – на 2–3 мм.

Острые креветки в пиве с пикантным соусом
Этот способ приготовления креветок идеален для небольшой компании, собравшейся смотреть футбольный матч. Естественно, к ним нужно подать хорошее пиво (или это их нужно подать к пиву?) и много хрустящих тостов из багета.

800 г сырых креветок без головы
350 мл светлого пива (лагер)
3 черешка сельдерея
1 лимон
1 маленькая красная луковица
соль, свежемолотый белый перец

Для соуса:
1 маленькая луковица шалота
1 зубчик чеснока
3–4 маринованных корнишона
2 ст. л. каперсов
маленький пучок петрушки
1 стакан домашнего майонеза
  (см. стр. 214)
2 ст. л. горчицы средней остроты
  (можно с зернышками)
1 ч. л. молотой паприки
кайенский перец

4 порции
Подготовка: 45 мин.
Приготовление: 7–10 мин.

1. Если креветки замороженные, заранее разморозьте их на верхней полке холодильника в дуршлаге, установленном в миске. Очистите креветки от панциря, удалите темную кишечную вену. Поперчите, залейте пивом и оставьте на 30 мин.

2. Для соуса мелко нарежьте лук, чеснок, корнишоны и петрушку. Порубите каперсы не слишком мелко. Смешайте все ингредиенты, приправьте кайенским перцем по вкусу. Закройте пленкой и поставьте в холодильник до использования.

3. Нарежьте сельдерей тонкими ломтиками, лук – тонкими полукольцами, лимон – кружками. Уложите нарезанные продукты в пароварку, сверху выложите креветки.

4. Полейте содержимое пароварки пивом от креветок так, чтобы оно стекло вниз. Приправьте креветки солью и перцем. Долейте в пиво необходимое для приготовления количество воды. Готовьте креветки 7–10 мин., один раз перевернув.

5. Подавайте креветки горячими, с холодным соусом. Овощи и кружки лимона, на которых готовились креветки, можно подать или нет – по вашему усмотрению.

Кстати
Вы можете готовить креветки в панцирях и с головой – в этом случае есть их гости будут значительно дольше, да и сами креветки получатся более сочными. Однако время маринования нужно в этом случае увеличить до 1–1,5 ч, а время приготовления – до 15 мин.

Овощная закуска с лимонно-базиликовой заправкой Помидоры и цукини, цветная
капуста и зелень, приготовленные на пару, сохраняют полезные вещества и природный цвет. Но в век
глобализации, когда продукты проделывают сотни километров, прежде чем попасть к нам на стол,
о яркости их вкуса говорить почти не приходится. Эта заправка из базилика с лимонным соком и цедрой
украсит самые «загрустившие» овощи!

2 средних цукини
1 небольшой кочан цветной капусты
5–7 половинок вяленных на солнце
    помидоров
горсть очищенного сырого фундука

Для заправки:
средний пучок зеленого базилика
маленький пучок шнитт-лука
сок и цедра 1 среднего лимона
1 ч. л. дижонской горчицы
5–6 ст. л. оливкового масла «экстра
    вирджин»
морская соль, свежемолотый
    черный перец

4–6 порций
Подготовка: 20 мин.
Приготовление: 1 ч 10 мин.

1. Удалите у цветной капусты стебель, кочан разберите на небольшие соцветия.
   Цукини, не очищая, нарежьте произвольно, не слишком крупно. Положите
   овощи в пароварку, готовьте почти до мягкости (лучше если они останутся
   чуть хрустящими), примерно 10 мин.
2. Вяленные на солнце помидоры нарежьте очень тонкими полосками.
3. Для заправки отделите у базилика листья от стеблей. Нижнюю часть стеблей
   удалите, верхнюю измельчите. Листья нарежьте тонко или порвите руками.
   Мелко нашинкуйте шнитт-лук.
4. Измельчите цедру. Смешайте цедру, лимонный сок, горчицу и оливковое масло. Приправьте солью и перцем, добавьте стебли базилика и шнитт-лук.
5. Готовые овощи выложите на тарелку, слегка остудите, полейте заправкой
   и перемешайте. Оставьте на 1 ч. Затем добавьте листья базилика и полоски
   вяленых помидоров, перемешайте и подавайте.

Кстати
Вяленые помидоры можно сделать дома, в духовке. Вам понадобятся плотные
сливовидные помидоры (например, сорта рома). Разрежьте их вдоль пополам,
удалите семена с жидкостью. Выложите половинки срезом вверх на выстланный пергаментом противень, приправьте солью и перцем, сбрызните хорошим
оливковым маслом. Поставьте противень в духовку, разогретую до 80–100 °C,
и оставьте там на 12–17 часов. Затем залейте оливковым маслом и храните
в холодильнике.

Картофельный салат с зеленым горошком и беконом
Среди большого количества картофельных салатов этот выделяется красотой (все же свежий зеленый горошек – удивительно живописная вещь) и гармоничным сочетанием вкусов. Бекон здесь особенно в тему.

по 300 г мелкого красного и белого
молодого картофеля
250 г зеленого горошка, свежего или
замороженного
1 маленькая сладкая красная
луковица
1 зубчик чеснока
150 г бекона
1 ст. л. любой горчицы
4 ст. л. оливкового масла «экстра
вирджин» плюс еще немного
морская соль, свежемолотый
черный перец
20–30 г твердого сыра (пармезан,
грюйер) для подачи

4–6 порций
Подготовка: 30 мин.
Приготовление: 5 мин.

1. Вымойте картофель щеткой и, не очищая, разрежьте вдоль пополам, а затем половинки поперек. Если картофель крупный, нашинкуйте его ломтиками толщиной 1,5–2 см. Лук нарежьте тонкими кольцами и приправьте солью.
2. Положите картофель в пароварку и готовьте до мягкости, примерно 20 мин. Добавьте горошек и держите до мягкости, примерно 5 мин.
3. Пока готовятся овощи, займитесь заправкой. Измельчите чеснок. Смешайте горчицу, чеснок и оливковое масло, приправьте перцем и солью по вкусу.
4. Бекон нарежьте небольшими кусочками и вытопите жир на сухой сковороде так, чтобы сам бекон зажарился до хруста. Смешайте содержимое сковороды (часть жира можно удалить) с заправкой непосредственно перед тем, как сдобрить ею картофель.
5. Готовый картофель с горошком выложите на тарелку, полейте заправкой и перемешайте. Добавьте лук, при желании еще приправьте маслом, солью и перцем. Подавайте немедленно, посыпав стружкой твердого сыра.

Кстати
Если вы хотите сделать этот салат более витаминным, возьмите горсть листьев разной зелени. Особенно хороша здесь будет смесь петрушки, тархуна и фиолетового базилика.

Рыбные роллы   Несколько лет назад наши соотечественники какой-то необъяснимой любовью полюбили японскую кухню. По крайней мере в том ее варианте, который популяризировали американцы. Во в окончательно обрусевшие суши мы даже майонез умудряемся положить. Нам думается, что пора все-таки вернуться к истокам. Этот рецепт теплых роллов вполне традиционен и нам очень нравится. Опять же дети едят, а им рыба очень нужна.

200 г филе жирной белой рыбы
   (палтус, масляная)
150 г филе семги
6 листов нори
1 маленький острый красный чили
маленьий пучок зеленого лука
1/2 ч. л. темного кунжутного масла
1 ч. л. японского кулинарного вина
   мирин
соль, свежемолотый белый перец
маринованный имбирь, васаби
   и соевый соус для подачи

4–6 порций
Подготовка: 20–30 мин.
Приготовление: 10 мин.

1.   Измельчите белую рыбу в блендере или в кухонном комбайне до состояния пасты. Чили очистите от семян и мелко порубите. Измельчите 1–2 стебля зеленого лука. Филе семги нарежьте брусочками произвольной длины, со срезом 1х1 см.
2.   Смешайте рыбную пасту с чили и зеленым луком, приправьте солью и перцем по вкусу, добавьте вино и кунжутное масло. Тщательно перемешайте.
3.   Уложите на макису (циновку для роллов) лист нори шероховатой стороной вверх и смажьте рыбной пастой, не доходя до короткого края несколько миллиметров.
4.   В 2–3 см от противоположного короткого края, параллельно ему, выложите брусочки семги в один ряд, уложите рядом перо зеленого лука. Сверните ролл при помощи макисы, при каждом повороте слегка прижимая его.
5.   Сделайте таким образом остальные роллы. Уложите их в пароварку и готовьте, пока фарш не побелеет, 7–10 мин.
6.   Острым ножом нарежьте роллы на кусочки длиной 2,5–3 см. Подавайте немедленно с имбирем, васаби и соевым соусом.

4   5

Кстати

В центр роллов можно положить любую начинку – сырую креветку, мясо краба или угря. Можете добавить овощи: дайкон, авокадо или также полоски перца.

Яичный крем с крабами Такого рода закуски – паровой яичный крем с разными наполнителями – очень характерны для японской кухни. Они одновременно легкие, сытные и изысканные. Можете подать крем в начале званого обеда или приготовить любимому человеку на романтический ужин.

250 г готового крабового мяса
6–8 перьев шнитт-лука
1,5 ст. л. рисового вина или сухого хереса
1/2 ч. л. темного кунжутного масла
морская соль, свежемолотый белый перец

Для яичного крема:
6 больших яиц
50 мл жирных сливок
3 ч. л. рисового вина или сухого хереса
1,5 ч. л. темного соевого соуса
1/2 ч. л. темного кунжутного масла
1/4 ч. л. сахара
1 ч. л. морской соли
масло для смазывания

Для бульона:
3 больших сушеных черных гриба
1 кусочек (примерно 4 см) водоросли комбу
2 ст. л. хлопьев бонито
2 стакана бутилированной воды

8 порций
Подготовка: 1 ч 10 мин.
Приготовление: 15 мин.

1. Для бульона положите грибы в бутилированную воду на 5 мин., затем доведите до кипения, варите 5 мин. Снимите с огня и оставьте на 10 мин. Затем добавьте комбу и верните на минимальный огонь. Доведите до кипения, снимите с огня, положите хлопья бонито и оставьте на 10 мин. Процедите бульон (грибы и комбу больше не понадобятся) и остудите, 20–30 мин.

2. Для крема взбейте яйца с 1,5 стакана остывшего бульона. Добавьте сливки, еще раз взбейте. Не прекращая взбивать, последовательно добавьте все остальные ингредиенты.

3. Распределите получившуюся массу по 8 мисочкам или чашкам.Смажьте маслом 8 кусков фольги с одной стороны и накройте мисочки смазанной стороной вниз. Плотно прижмите фольгу по краям и поставьте мисочки в пароварку. Готовьте 10 мин. – за это время крем должен слегка схватиться. Выньте из пароварки и оставьте, не снимая фольгу (крем будет продолжать готовиться), на 5 мин.

4. Пока варится крем, подготовьте краба. Разберите мясо на волокна, удалите хитиновые пластинки. Нарежьте мелко шнитт-лук. Смешайте крабовое мясо, шнитт-лук, рисовое вино и кунжутное масло. Приправьте солью и перцем по вкусу.

5. Снимите фольгу с мисочек с кремом, поверх выложите крабовую смесь. Подавайте немедленно.

Кстати
Вы можете воспользоваться готовым концентратом даши, который продается в магазинах японских продуктов. Если не найдете комбу, возьмите какие-нибудь другие водоросли. А крабовое мясо лучше всего использовать не консервированное, а замороженное – в продаже часто встречаются варено-мороженые ноги камчатского краба, их и берите.

Омлеты на пару можно делать не только из куриных яиц. Возьмите, например, перепелиные – их любят в Японии, во Вьетнаме и в Таиланде. Их вкус не слишком отличается от куриных – разве что они нежнее и готовятся быстрее. Утиные яйца в Европе начали есть древние римляне две с лишним тысячи лет назад. К тому моменту куриные всем успели надоесть, и римляне экспериментировали с павлинами, гусями и утками. Утиные яйца крупнее куриных и более вытянутые. Они богаче не только калориями, но и полезными веществами: витамина А и B$_{12}$, а также калия и фосфора в них в два с половиной раза больше, чем в куриных. Только не передержите омлет на пару: в утиных яйцах меньше воды, и они очень быстро делаются резиновыми. Маленькие голубиные яйца любят использовать китайские повара, но у нас они в продаже почти не встречаются.

Паровой омлет в корейском стиле   Уж казалось бы, нас омлетом не удивишь. Сколько мы их перепробовали в советские времена, когда на прилавках одни только яйца и были! Но этот вариант, которым обедают (а иногда завтракают или ужинают) в Южной Корее, нам все-таки в новинку. Сочетание яиц с ароматными кунжутными семечками – это великолепно!

3 больших яйца

1 стакан бутилированной воды

2–4 стебля зеленого лука

1 ст. л. сырых кунжутных семян

1 ст. л. светлого кунжутного
  масла плюс еще немного для
  смазывания

морская соль

2 порции

Подготовка: 25 мин.

Приготовление: 15–20 мин.

1. Насыпьте кунжутные семена на сухую сковороду, поставьте на средний огонь и готовьте, помешивая, до золотистого цвета. Снимите с огня и остудите.
2. Зеленый лук нарежьте довольно мелко. Взбейте венчиком или вилкой яйца с бутилированной водой до однородности – смесь должна слегка пениться.
3. Добавьте в яичную смесь соль по вкусу и кунжутное масло, взбейте еще раз. Смажьте кунжутным маслом любую цельную емкость, пригодную для пароварки, влейте туда яичную смесь и поместите в пароварку.
4. Готовьте 10 мин. Затем добавьте кунжутные семена и зеленый лук, посыпав ими поверхность по возможности равномерно. Не перемешивайте!
5. Продолжайте готовить омлет до тех пор, пока яичная смесь полностью не схватится, а края омлета не начнут отходить от стенок емкости, это займет 15–20 мин. Подавайте омлет очень горячим.

Кстати

В такой омлет можно добавлять любую зелень по вкусу. Особенно хороша здесь растертая в ступке кашица из чеснока с кинзой.

Супы

Сколько бы мы ни убеждали себя, что в современной жизни – когда все бегом, все в суете – можно обойтись без «первого», все равно не убедим. Не зря же нас когда-то пичкали им заботливые мамы и мудрые бабушки. Разве может быть полной наша кулинарная жизнь без борщей, щей и супов-пюре? Способов варить суп в пароварке немало, но проще всего подготовить на пару основные ингредиенты, а потом «сложить» их в суп, воспользовавшись в качестве бульона отваром, образовавшимся на дне пароварки. Он обычно очень ароматный и не слишком концентрированный. Как раз то, что надо!

Суп из брокколи с йогуртом и пармезаном   Прекрасный способ накормить полезным овощем любого (ну ладно, почти любого) ребенка. Можете для интереса выложить еще немного йогурта в центр тарелки и при помощи зубочистки изобразить на поверхности супа спираль или цветочек. Взрослые обычно съедают этот суп очень быстро и без всяких художественных выкрутасов.

1 крупный кочан брокколи весом примерно 700 г

1 крупный цукини

3 стакана овощного или куриного бульона

1 стаканчик (125 г) натурального йогурта

30–40 г пармезана

2 ст. л. базиликового песто

соль, свежемолотый черный перец

оливковое масло «экстра вирджин»

4 порции
Подготовка: 35 мин.
Приготовление: 5 мин.

1. Удалите у брокколи жесткий стебель, головку разделите на соцветия. Нарежьте цукини небольшими кубиками.
2. Влейте в любую цельную емкость, пригодную для пароварки горячий бульон, добавьте брокколи и цукини, поставьте в пароварку и готовьте до мягкости овощей, примерно 15 мин., не дольше.
3. Переложите овощи вместе с бульоном в блендер и взбейте до однородности (при необходимости добавьте еще немного бульона или жидкости из пароварки). Положите песто и тертый сыр, взбейте еще раз. Посолите и поперчите по вкусу.
4. Верните суп в пароварку и прогрейте, 5 мин. Разлейте по подогретым тарелкам, в каждую выложите немного йогурта, сбрызните оливковым маслом и подавайте немедленно.

Кстати
Если вы любите еду более яркую, сдобренную специями, приправьте суп прямо в тарелке смесью поджаренных и размолотых семян зиры и кориандра. Или добавьте немного раскрошенного сыра: брынзы, феты или сыра с голубой плесенью.

Суп-крем из тыквы с миндалем Самое трудное, что вам предстоит при приготовлении этого супа, – это почистить тыкву. А приготовить сам суп легче легкого. Кроме того, он невероятно красивый, полезный, экономически выгодный и, главное, очень вкусный. Тарелка ярко-оранжевого деликатеса на обед гарантирует вам отличное настроение на весь оставшийся день.

400 г тыквы

1 большая морковка

1 среднее кислое яблоко

1 крупная луковица шалота

1 зубчик чеснока

2 см свежего корня имбиря

1 ст. л. свежевыжатого лимонного
  сока

несколько веточек кинзы

200 мл сливок жирностью 22%

50 г миндальных «лепестков»

1 ч. л. коричневого сахара

щепотка молотой корицы

соль, свежемолотый белый перец

6 порций
Подготовка: 15 мин.
Приготовление: 30–40 мин.

1. Очистите тыкву, морковь, яблоко и лук, нарежьте их небольшими кусочками и поместите в любую цельную емкость, пригодную для пароварки.
2. Имбирь и чеснок очистите, измельчите и добавьте к овощам.
3. Приправьте корицей и сахаром, влейте лимонный сок, посолите по вкусу и готовьте до мягкости, 20–30 мин.
4. Измельчите овощи блендером почти до гладкости, влейте сливки и 300 мл бульона из-под овощей (или кипящей воды) и еще раз взбейте. Верните емкость в пароварку или в сотейник и прогрейте почти до кипения.
5. Разлейте суп по тарелкам. Положите в каждую листики кинзы, немного минда-ля, приправьте белым перцем.

Кстати
В такой суп хорошо добавить 1 крупный или 2 небольших сладких перца – крас-ных, желтых или оранжевых. Если хотите придать блюду легкий копченый аромат, запеките перец в духовке под грилем до черных подпалин и поместите в по-лиэтиленовый пакет, герметично закрыв на 15 мин. Очистите перец от кожицы и семян и положите в блендер вместе с паровыми овощами.

44

Минестроне Этот знаменитый итальянский суп замечателен, в частности, тем, что рецептов его приготовления великое множество. Варят его из самых разнообразных сезонных овощей и с пастой, и с рисом, и, как в нашем варианте, с бобовыми. В одних регионах Италии в него добавляют песто, в других – пармезан. Словом, места для творчества достаточно. Главное – сохранить тот самый средиземноморский колорит, который придает супу неповторимое очарование: использовать оливковое масло первого отжима, самые лучшие помидоры и ароматный зеленый базилик.

Начинайте готовить за 5–7 ч до подачи

по 150 г колотого гороха, красной
  и зеленой чечевицы, риса
  и крупной пшеничной крупы
1 небольшой баклажан
100 г тыквы
1 небольшая морковка
1 небольшой кочанчик кольраби
10 помидоров черри
3 средние картофелины
1 средняя луковица
1 зубчик чеснока
2 лавровых листа
2–3 ст. л. оливкового масла «экстра
  вирджин»
несколько веточек зеленого
  базилика
морская соль, свежемолотый
  черный перец

6–8 порций
Подготовка: 5–7 ч
Приготовление: 15 мин.

1. Горох замочите в холодной воде на 4–6 ч, затем откиньте на дуршлаг.
2. Поместите в любую цельную емкость, пригодную для пароварки горох, красную и зеленую чечевицу, рис и пшеничную крупу, залейте 1,5 л кипящей воды и готовьте 30–35 мин.
3. Баклажан и картофель нарежьте крупными кубиками, кольраби и тыкву – ломтиками; добавьте в суп. Готовьте 25 мин.
4. Морковь нарежьте кружками, лук и чеснок мелко порубите.
5. Разогрейте в сковороде оливковое масло и обжарьте лук и чеснок до мягкости, 5–7 мин., затем добавьте морковь и готовьте 5 мин., аккуратно перемешивая. Помидоры черри разрежьте на половинки и тушите 3 мин. в той же сковороде.
6. Переложите все подготовленные овощи в пароварку, посолите, поперчите по вкусу, добавьте лавровый лист и готовьте 12–15 мин. Разлейте суп по тарелкам, сбрызните оливковым маслом и украсьте листиками базилика.

Кстати
В супермаркетах продается готовая смесь бобовых и круп для минестроне – как итальянская (довольно дорогая), так и отечественного производства (значительно дешевле и ничуть не хуже), – использовать ее очень удобно. Вы можете приготовить минестроне с консервированными бобовыми – любыми, по вашему вкусу, это уменьшит время приготовления. Можете использовать нут, белую фасоль, красную и фасоль лима (она же сливочные бобы баттер). Только обязательно откиньте бобовые на дуршлаг и обсушите, прежде чем добавлять в суп.

Перловый суп с овощами и беконом

Если вы вдруг собрались покататься на санках-лыжах-коньках, лучшего супа на обед после таких занятий не придумать. Недаром он так популярен в Швейцарских Альпах, что может служить визитной карточкой практически каждого ресторана. Есть только один минус: сочетание «зима – лыжи – перловый суп» при частом употреблении может вызвать привыкание. А ведь легкий вариант такого супа можно готовить и летом – без бекона, на оливковом или подсолнечном масле...

Начинайте готовить за 3 ч до подачи

100 г перловой крупы
200 г бекона
1 средняя морковка
1/2 среднего корня сельдерея
200 г белокочанной капусты
2 средние картофелины
1 стебель лука-порея (только белая часть)
пучок петрушки
сметана
соль, свежемолотый черный перец

6 порций
Подготовка: 2 ч
Приготовление: 45 мин.

1. Залейте перловую крупу горячей водой. Через 2 ч слейте воду и переложите крупу в любую цельную емкость, пригодную для пароварки.
2. Очистите картофель, морковь, сельдерей и капусту и нарежьте небольшими кубиками. Белую часть лука-порея промойте и нарежьте кольцами. Поместите овощи в пароварку и залейте 1,5 л горячей воды. Посолите и поперчите по вкусу, готовьте 40 мин.
3. Бекон нарежьте узкими полосками и зажарьте на сухой сковороде до хруста.
4. Несколько веточек петрушки отложите, у остальных отделите листочки от стеблей (стебли здесь не понадобятся), мелко порубите и перемешайте со сметаной.
5. Добавьте сметану в суп, прогрейте 5 мин. и разлейте по тарелкам. В каждую тарелку добавьте бекон и листики петрушки.

2   **3**

Кстати
Если вы, несмотря на все наши увещевания, не желаете видеть перловку у себя в тарелке, замените ее пшеничной крупой. Ее тоже нужно будет замочить перед варкой, но необязательно в горячей, можно и в холодной воде. Чем крупнее крупа, тем дольше она будет готовиться.

Такой суп можно приготовить из разных сортов чечевицы. Коричневую чечевицу – самую распространенную – нужно замачивать на ночь, а потом варить 30–40 минут. Зеленая чечевица – это недозрелая коричневая, ее замачивать не надо, и варится она недолго. Чечевица пюи (она же зеленая французская) названа в честь местности во Франции. Здесь на особенной вулканической почве ее и вывели. Черно-зеленые семена пюи имеют сильный перечный аромат и пряный вкус и практически не развариваются, сохраняя упругость даже в готовом виде. Имейте это в виду – пюре из пюи у вас не получится. Черная чечевица «белуга» – самая маленькая. Назвали ее так за то, что готовые зернышки блестят, напоминая белужью икру. Она очень вкусная сама по себе и варится за 20 минут, без замачивания. И все же быстрее всего готовится красная чечевица, потому что она полностью очищена от оболочки. В процессе варки она теряет свой яркий цвет и быстро превращается в кашу, но для супа это как раз то, что нужно.

Густой суп из красной чечевицы   В отличие от зеленой чечевицы красная – очищенная от внешнего слоя – варится намного быстрее и в процессе приготовления разваривается в пюре. Вкус у этого супа достаточно мягкий, а сельдерей и сливки сделают его еще более нежным. Подайте отдельно маленькие хрустящие гренки – и радуйтесь жизни!

125 г красной чечевицы
150 г корня сельдерея
1 средняя морковка
1 крупный помидор
2–3 веточки петрушки
7–10 перьев шнитт-лука
200 мл сливок жирностью 20%
соль, свежемолотый черный перец

4 порции
Подготовка: 15 мин.
Приготовление: 40 мин.

1.   Очистите клубень сельдерея и нарежьте небольшими кубиками, очищенную морковь – тонкими кружочками, помидор – кубиками.
2.   Чечевицу положите в любую цельную емкость, пригодную для пароварки, добавьте подготовленные овощи и влейте 1 л воды. Посолите по вкусу и готовьте 30 мин.
3.   Влейте в суп сливки и прогревайте 5 мин.
4.   Нарежьте шнитт-лук, отделите листочки петрушки от стеблей. Разлейте суп по тарелкам и посыпьте зеленью.

Кстати
Чтобы сделать гренки, возьмите подсохший хлеб – лучше всего белый с отрубями или темный с семечками и орехами. Нарежьте кубиками со стороной 1,5 см, выложите ровным слоем на противень и сбрызните оливковым или арахисовым маслом. Приправьте солью, перцем и другими молотыми специями по вашему вкусу (отлично подойдут зира и кориандр) и поставьте в разогретую до 180 ˚С духовку примерно на 10 мин., до образования хрустящей корочки. Пару раз перемешайте. Подавайте гренки горячими или полностью остывшими.

Холодный суп из авокадо и цукини Летом не хочется много готовить, и мы чаще всего питаемся салатами и сэндвичами. Ну, шашлыками тоже, конечно. Но этот суп – идеальная летняя еда. В нем много витаминов, готовить его легко, а в середине жаркого дня тарелочка супа (или бокал – почему бы не разлить такой красивый суп по прозрачным бокалам?) поддержит ваши силы и доставит массу удовольствия.

1 крупный цукини
2 крупных очень спелых авокадо
сок половины лимона
1 стакан питьевого йогурта
маленький пучок мяты
по щепотке молотой зиры,
    кориандра и душистого перца
соль, свежемолотый черный перец
1 ст. л. оливкового масла «экстра
    вирджин» плюс еще для подачи

4 порции
Подготовка: 1 ч 25 мин.
Приготовление: 10 мин.

1. Цукини нарежьте ломтиками толщиной 1,5 см. Сбрызните половиной лимонного сока, посыпьте специями, перемешайте и положите в пароварку. Готовьте до мягкости, примерно 10 мин. Полностью остудите.
2. Отмерьте 1 стакан жидкости, оставшейся в пароварке после приготовления цукини, остудите и поставьте в морозильник на 1 ч.
3. Очистите авокадо от кожуры и косточки, нарежьте произвольно, сбрызните оставшимся лимонным соком и маслом, положите в блендер. Добавьте цукини и йогурт, взбейте до однородности.
4. У мяты удалите стебли, несколько листочков оставьте для украшения, остальные порубите и положите в блендер. Влейте туда охлажденную жидкость от варки цукини и взбейте до однородности еще раз.
5. Разлейте суп по охлажденным тарелкам, сбрызните оливковым маслом, приправьте перцем и украсьте листочками мяты. Подавайте немедленно.

Кстати
Если у вас на даче уродились кабачки или вы просто читаете этот рецепт в самый разгар кабачкового сезона, не сомневайтесь, замените ими цукини. Суп получится ничуть не менее вкусным, разве что цвет у него будет немного более тусклый. Мяту можно заменить на любую другую любимую вами зелень: тархун, кинзу, базилик или петрушку.

Постные щи с грибами   Любое блюдо из самой обычной капусты на пару получается каким-то особенным. Капуста становится нежной, одновременно сохраняя некоторую хрусткость и не превращаясь в размазню. А если вы подадите щи в горшочках, накрытых «крышечками» из слоеного теста (которые можно есть вместо хлеба, макая в щи), успех у всех членов семьи вам обеспечен! Хотя кроме пароварки для запекания теста все же придется воспользоваться духовкой.

четверть кочана капусты
1 маленький стебель лука-порея
  (только белая часть)
2 крупные луковицы шалота
5 свежих или замороженных белых
  грибов
1 средняя морковка
1 пастернак или корень петрушки
250 г бездрожжевого слоеного теста
3 ст. л. подсолнечного масла
щепотка душистого перца горошком
соль, свежемолотый черный перец
крепкий черный чай для смазывания
  теста

4–6 порций
Подготовка: 25 мин.
Приготовление: 40 мин.

1. Промойте лук-порей от песка, порежьте соломкой. Тонко нашинкуйте соломкой капусту, лук-шалот, морковь и пастернак (корень петрушки). Белые грибы порежьте ломтиками.
2. В любой цельной емкости, пригодной для пароварки разогрейте масло, положите овощи вместе с грибами и душистый перец, готовьте на пару 15 мин.
3. Влейте 1,5 л кипящей воды, варите 15–20 мин. Посолите и поперчите.
4. Разлейте щи по порционным горшочкам. Из слоеного теста вырежьте «крышечки» и накройте горшочки, слегка прижав края теста. Смажьте настоем чая и поставьте в разогретую до 200 °C духовку на 15–18 мин. Подавайте щи очень горячими.

Кстати
В принципе, приготовить горшочки с тестяной крышкой в пароварке тоже не представляет никакой сложности – просто крышки получатся бледными и малосимпатичными.

Густой морковный суп с острым маслом   Этот суп получается очень хитрым. С одной стороны, вполне детским: чуть сладкий, жизнерадостного цвета, наполненный витаминами. С другой стороны, стоит добавить это масло – и он делается необыкновенно взрослым: островатым, со сложной палитрой ароматов. Хотя, как показывает практика, некоторые продвинутые дети такое тоже очень любят!

4 крупные морковки
2–3 крупные картофелины
1 большая луковица
2 ст. л. сливочного масла
1 ч. л. молотой куркумы
соль, свежемолотый белый перец
1 красный острый перец чили,
    по желанию, для подачи

Для острого масла:
100 г сливочного масла
1 красный острый перец чили
1 маленький зубчик чеснока
5 горошин душистого перца
1 ч. л. семян зиры
щепотка куркумы
морская соль среднего помола

4–6 порций
Подготовка: 50 мин.
Приготовление: 15 мин.

1. Для острого масла сливочное масло размягчите. Чили измельчите, по желанию очистив от семян или оставив как есть. Чеснок измельчите, положите в ступку, добавьте чили.
2. Семена зиры и душистый перец прогрейте в сухой сковородке на среднем огне, 1–2 мин., также положите в ступку. Добавьте щепотку соли и куркуму. Растолките содержимое ступки как можно мельче и смешайте с размягченным маслом.
3. Выложите острое масло на сложенный вдвое большой кусок пленки. Сверните так, чтобы из масла получилась колбаска диаметром 4–5 см. Положите в морозильник до использования.
4. Для супа морковь и картофель очистите, нарежьте крупными кусками, положите в пароварку, варите до мягкости, примерно 25 мин.
5. Лук мелко нарежьте. Растопите в сковороде масло, положите лук и обжаривайте на среднем огне до золотистого цвета, помешивая, 10–15 мин. За пару минут до готовности добавьте куркуму.
6. Положите готовую морковь, картофель и обжаренный лук в блендер. Влейте жидкость из пароварки, добавив воды – столько, чтобы в общем получилось 1,2 л жидкости. Взбейте до однородности. Посолите и поперчите по вкусу, верните в пароварку и прогрейте, 10 мин.
7. Для подачи, по желанию, чили нарежьте колечками. Острое масло выньте из морозильника и горячим ножом нарежьте кружками толщиной примерно 1 см. Разлейте суп по подогретым тарелкам, в каждую положите по 1–2 кружка острого масла. Подавайте немедленно.

Кстати
При желании этот суп можно сварить, используя любой уже готовый бульон: овощной, мясной или куриный. Причем вы можете залить его в пароварку вместо воды – тогда овощи пропитаются ароматом бульона, и в результате суп получится еще более насыщенным.

Суп с перцем и брюссельской капустой   Вы просто не поверите, как хороша бывает свежая брюссельская капуста! Никакой горечи, присущей замороженному варианту, никакой склизкости – одна только свежесть, упругость и нежнейший вкус. Особенно хороша она в сочетании с другими овощами в густом супе, сваренном без единого куска мяса – зато с отличной венгерской паприкой.

200 г брюссельской капусты
3 сладких перца разного цвета
1 средняя морковка
1 средний цукини
5–6 средних спелых помидоров
2 средние луковицы
2 зубчика чеснока
1 веточка розмарина
1 веточка тимьяна
оливковое масло «экстра вирджин»
2–3 ч. л. молотой паприки
соль, свежемолотый перец
1,5–2 л бутилированной воды

4–6 порций
Подготовка: 30 мин.
Приготовление: 40 мин.

1. У брюссельской капусты аккуратно кончиком острого ножа вырежьте коче-рыжки. Сами кочанчики слегка надрежьте снизу крест-накрест, положите в холодную подсоленную воду на 15 мин., затем откиньте на дуршлаг.
2. Лук и морковь нарежьте небольшими кубиками. Разогрейте в сковороде немного масла и обжарьте лук с морковью до золотистого цвета на среднем огне, 10 мин. Добавьте паприку, перемешайте, готовьте 30 сек. и снимите сковороду с огня.
3. Цукини нарежьте небольшими кубиками. Сладкие перцы очистите от семян и плодоножек, мякоть нарежьте такими же кубиками, как цукини. Чеснок с пряными травами измельчите.
4. На помидорах сделайте крестообразные надрезы, опустите в кипящую воду на 30 сек., затем обдайте холодной водой, снимите кожицу. Разрежьте по-мидоры на части, удалите семена с жидкостью, мякоть порубите.
5. Все подготовленные овощи (включая обжаренные с паприкой) сложите в любую цельную емкость, пригодную для пароварки. Залейте кипящей бутилиро-ванной водой и варите в пароварке 40 мин. За 10 мин. до готовности приправь-те солью и перцем, добавьте чеснок с травами. Подавайте очень горячим.

Кстати
Если у вас есть возможность, купите свежую «родную» венгерскую паприку в па-кетике или коробочке. Вы увидите, насколько она отличается ярким ароматом и насыщенным вкусом от своих собратьев-порошков, которые годами валяются на складах. С такой приправой никакого мяса не нужно!

Если вы попробуете найти какой-нибудь аргумент против приготовления мяса на пару, то найдете всего два. Или даже полтора. Первый (это который половинка): у мяса не получается аппетитной, поджаристой корочки. Ну, во-первых, корочку не все любят. Во-вторых, ее вполне можно «организовать», на несколько минут переставив готовое блюдо из пароварки под гриль. Что касается второго аргумента, то против него не поспоришь: мясо на пару готовится долго. Ну и ладно, зато очень вкусно.

Оссобуко

Легендарное классическое миланское блюдо – оссобуко – готовят из телячьей ножки вместе с костью и костным мозгом. Дословный перевод ossobuco – «дырявая кость». Главное – найти подходящий кусок голени и хорошенько его обжарить, а потом долго тушить. Чем дольше, тем лучше, с помидорами и вином, щедро приправив в конце приготовления гремолатой – смесью из мелко порубленной петрушки, лимонной цедры и чеснока. При обжаривании кладите мясо на сковородку сначала на ту сторону, где отверстие в кости больше, затем смело переворачивайте на другую сторону. Это нужно для того, чтобы из будущего оссобуко не выпал костный мозг. И обязательно сопроводите трапезу красным итальянским вином!

4 куска телячьей рульки, нарезанных специально для оссобуко (см. «Кстати»)
4 средних спелых помидора
2 средние луковицы
2 зубчика чеснока
2 ст. л. томатного пюре
200 мл красного сухого вина
4 веточки петрушки
1 веточка розмарина
цедра половины лимона
2 лавровых листа
2 ст. л. оливкового масла «экстра вирджин»
соль, свежемолотый черный перец

4 порции
Подготовка: 15 мин.
Приготовление: 1 ч 30 мин.

1. Мясо обсушите. Нарежьте лук кольцами, измельчите 1 зубчик чеснока. Разогрейте оливковое масло и потушите в нем лук и чеснок. Положите в сковороду мясо и обжарьте с двух сторон на сильном огне до образования румяной корочки.

2. На помидорах сделайте крестообразные надрезы, опустите их в кипяток на 30 сек., затем обдайте холодной водой и очистите от кожицы. Удалите семена вместе с жидкостью, мякоть нарежьте мелкими кубиками. Поместите мясо в любую цельную емкость, пригодную для пароварки, добавьте помидоры, посолите по вкусу и приправьте перцем.

3. Влейте вино и томатное пюре, добавьте лавровый лист и готовьте примерно 1,5 ч. Мясо должно стать очень мягким и легко отделяться от костей.

4. Измельчите петрушку, порубите второй зубчик чеснока, натрите на мелкой терке цедру половины лимона.

5. За 5 мин. до готовности мяса добавьте подготовленные продукты в пароварку. Сверху положите веточку розмарина. На гарнир подавайте рис, ризотто или овощной салат.

Кстати
Дома вы сможете нарезать телячью ножку «правильными» кусками только при помощи очень хорошей ножовки или электролобзика, предварительно заморозив ее. У нас на рынках пока что подобным образом разделанное мясо не продают, так что ищите его в супермаркетах.

Традиционный британский слоеный пудинг   Любят, любят в Британии пудинги.

Этому рецепту, между прочим, несколько сотен лет. И его всегда, традиционно, готовили на пару! замечательное, очень сытное блюдо для большого воскресного семейного обеда. Можете приготовить его заранее, а перед обедом просто разогреть.

**Начинайте готовить за 5 ч
до подачи**

700 г говяжьей мякоти с задней ноги
2 стакана крепкого говяжьего
    бульона
2 средние луковицы
по маленькому пучку петрушки
    и сельдерея
1 ст. л. томатного пюре
2–3 ст. л. муки
1 ч. л. сушеного орегано
соль, свежемолотый черный перец
говяжий или свиной жир
    для обжаривания

Для теста:
350 г муки
170 г говяжьего жира
1,5 ч. л. разрыхлителя
соль

6–8 порций
Подготовка: 3 ч
Приготовление: 2 ч

1. Для начинки мясо нарежьте кубиками со стороной примерно 3 см. Измельчите зелень. Лук нарежьте перьями. Смешайте муку с солью, присыпьте мясо
так, чтобы каждый кусок оказался покрыт тонким слоем.

2. В большой глубокой сковороде с толстым дном разогрейте говяжий или
свиной жир, на сильном огне порциями обжарьте мясо до румяной корочки
со всех сторон. Готовое мясо выкладывайте на тарелку.

3. В сковороду, где жарилось мясо, положите лук, уменьшите огонь до среднего
и обжарьте лук, помешивая, до светло-золотистого цвета, 5–7 мин. Затем
верните в сковородку все мясо и обжарьте, перемешав, еще 5 мин.

4. Добавьте в сковороду бульон, томатное пюре, зелень, орегано и перец.
Доведите до кипения, плотно закройте крышкой и готовьте на минимальном
огне 2 ч, время от времени помешивая. Затем приправьте солью, снимите
с огня и полностью остудите.

5. Для теста очень мелко порубите жир (это легче сделать, если жир слегка под-
морожен), положите в миску, добавьте просеянную с разрыхлителем и солью
муку. Влейте столько чуть теплой воды, чтобы можно было замесить не слишком крутое тесто. Не вымешивайте его долго – просто добейтесь однородности. Накройте шар из теста пленкой и дайте постоять 20 мин.

6. Разделите тесто на 6 кусочков. Раскатайте каждый из них в круг диаметром
чуть меньше формы, в которой вы будете готовить пудинг.

7. Смажьте форму маслом, положите 1 круг теста. На него поместите начинку,
закройте вторым кругом. Таким образом выложите слоями всю начинку и тесто – причем последним слоем должен быть тестяной.

8. Смажьте кусок пергамента маслом с одной стороны, закройте им форму
(масляной стороной вниз) и обвяжите кухонным шпагатом. Сверху заверните форму примерно до половины в фольгу. Установите форму в пароварку
и готовьте 2 ч, при необходимости подливая кипящую воду. Подавайте пудинг
горячим с овощным пюре или паровыми овощами.

6   7   8

Бефстроганов из телятины Мясо по-строгановски давно стало известно во всем мире как традиционное русское блюдо, хотя на самом деле таковым не является. Это блюдо придуманное, а не вышедшее из недр народного сознания. Говорят, что изобрел его французский повар для своего русского барина – графа Строганова, по слабости зубов затруднявшегося есть мясо. Рецепт пришелся по вкусу и завоевал популярность. Если раньше его подавали лишь в домах русской знати, живущей на широкую ногу, то теперь, напротив, блюдо это скорее подходит для повседневного употребления, потому что готовится быстро и из доступных продуктов, а вкус зело отменный. Подавайте бефстроганов с жареным картофелем и солеными огурцами.

500 г телячьей вырезки
2 средние луковицы
10–12 средних шампиньонов
200 г сметаны средней жирности
50 г сливочного масла
1 ст. л. муки
соль, свежемолотый белый перец

4 порции
Подготовка: 20 мин.
Приготовление: 25 мин.

1. Обсушите мясо бумажными полотенцами. Сначала нарежьте поперек волокон на ломтики толщиной 1 см и отбейте с двух сторон, затем нарежьте на полоски толщиной 5 мм.
2. Очистите лук и нарежьте тонкими кольцами. У шампиньонов удалите ножки, шляпки нарежьте пластинками.
3. Разогрейте в глубокой сковородке сливочное масло и положите лук и полоски мяса. Обжарьте на большом огне, постоянно помешивая, 3–4 мин. Добавьте муку, перемешайте и прогрейте 1 мин.
4. Переложите мясо в любую цельную емкость, пригодную для пароварки, добавьте нарезанные грибы и добавьте сметану. Посолите и приправьте перцем. Готовьте 25 мин. при интенсивном кипении.

Кстати
Вместо шампиньонов вы можете, конечно, взять благородные грибы – лисички или белые. Причем белые годятся и сушеные – просто замочите их заранее, за пару часов, в теплой воде, а затем выньте из настоя и нарежьте. Настой можно влить в пароварку и готовить бефстроганов на нем.

Фаршированный перец   Вот тот самый случай, когда рецептов приготовления не счесть – как алмазов в каменных пещерах. Чем только не фаршируют перец! И тунцом, и овощами, и просто мясом. Мы подобрали для вас нечто особенное. Начинка из телятины, моццареллы и базилика сама по себе гарантирует богатейший вкус. А когда все это упаковано в сочную и яркую оболочку – результат просто потрясающий!

Начинайте готовить за 4 ч до подачи

6 средних сладких перцев
250 г мякоти телятины
1 большая белая луковица
100 г среднезерного риса
100 г моццареллы
3 веточки базилика
2 ст. л. оливкового масла «экстра
    вирджин»
по 1/4 ч. л. сухого орегано
    и майорана
морская соль, свежемолотый
    черный перец

6 порций
Подготовка: 2 ч 20 мин.
Приготовление: 40–50 мин.

1. Замочите рис в холодной воде на 2 ч, затем откиньте на сито. Поместите рис в пароварку и готовьте 15 мин., остудите.
2. Очень мелко порубите тесаком или тяжелым ножом телятину (или пропустите через мясорубку со средней решеткой). Мелко нарежьте лук и тушите в сковороде на среднем огне в оливковом масле до мягкости, 5 мин.
3. Сладкие перцы разрежьте вдоль пополам и удалите семена. Моццареллу нарежьте небольшими кубиками. Отделите листики базилика от стеблей и измельчите. Стебли тоже можно добавить, предварительно измельчив и растерев их в ступке.
4. Смешайте фарш, моццареллу, базилик, лук и рис, посолите по вкусу, приправьте перцем. Наполните фаршем половинки перца.
5. Поместите перец в пароварку и готовьте 40–50 мин. Подавайте горячим или теплым.

Кстати
Для этого рецепта лучше всего подойдут сладкие перцы ярких цветов – красные, оранжевые или желтые. Зеленый сладкий перец обычно слишком жесткий, за исключением сортов с тонкими стенками, что растут у нас в южных широтах – на Кубани – или привозятся из Украины.

Азу по-татарски   Это замечательно вкусное блюдо татарской кухни. И цвет, и контраст, и композиция – все при нем. Имеется и секрет успеха: топленое масло. Лучше с рынка, откуда-нибудь из Самарканда, от знакомого поставщика. Вкус мяса и картошки, приготовленных на топленом масле, совершенно особенный. А еще помидоры, чеснок, бочковые соленые огурчики... Айбат! По-татарски это значит хорошо.

500 г мякоти говядины (вырезки
  или мякоти с задней ноги)
5–6 средних картофелин
2 средних крепких соленых огурца
1 большая луковица
1 зубчик чеснока
2 ст. л. томатного пюре
6 ст. л. топленого масла
морская соль, свежемолотый
  черный перец

4 порции
Подготовка: 40 мин
Приготовление: 25 мин.

1. Обсушите мясо бумажными полотенцами и нарежьте полосками шириной 1 см, длиной 5 см. Измельчите лук и чеснок. Нарежьте соломкой соленые огурцы (если у огурцов толстая кожица, ее можно очистить). Измельчите чеснок.

2. Разогрейте в глубокой сковородке 1 ст. л. топленого масла и на среднем огне потушите до прозрачности лук, 5 мин. Выложите лук в емкость пароварки. Положите в сковороду еще 2 ст. л. масла, поставьте на максимальный огонь. Положите мясо и быстро обжарьте, часто помешивая.

3. Поместите обжаренное мясо в любую цельную емкость, пригодную для пароварки, добавьте измельченный чеснок, огурцы и томатное пюре, влейте 250 мл горячей воды, посолите и приправьте черным перцем. Готовьте 20 мин.

4. Очистите картофель, нарежьте соломкой и обсушите. Обжарьте на оставшемся разогретом масле до золотистой корочки. Переложите картофель в пароварку к мясу, аккуратно перемешайте и готовьте еще 25 мин.

Кстати
Вы можете не обжаривать мясо перед приготовлением в пароварке, а просто увеличить время приготовления примерно на 20 мин. Возможно, при этом блюдо потеряет часть своей внешней привлекательности, но будет более полезным.

Говяжья вырезка в пряностях   К сожалению, отечественная промышленность пока
так и не научилась производить по-настоящему хорошую говядину – до стейков нам пока далеко.
А вот вырезка все же иногда попадается вполне качественная. Чем хорошо приготовление на пару,
так это тем, что испортить хорошее мясо вам просто не удастся.

**Начинайте готовить за 1 день
до подачи**

кусок говяжьей вырезки весом
    примерно 1,2 кг
по 1 ст. л. горошин белого, черного
    и душистого перца
1 ч. л. ягод можжевельника
1 лавровый лист
1 ч. л. семян фенхеля
2 ч. л. семян зиры
оливковое масло «экстра вирджин»
морская соль

4–6 порций
Подготовка: 24 ч
Приготовление: 40–60 мин.

1. Все специи уложите на сухую сковороду и поставьте на средний огонь. Прогревайте, слегка потряхивая сковородку, 2–3 мин.
2. Пересыпьте специи и соль в ступку, растолките не слишком мелко. Лавровый лист можно не толочь, а просто разломить на несколько частей.
3. Срежьте с мяса все пленки, обсушите кусок бумажными полотенцами и обваляйте в пряной смеси.
4. Уложите мясо в контейнер с крышкой и полейте оливковым маслом. Закройте и поставьте в холодное место на 24 ч. Время от времени переворачивайте мясо в масле, чтобы оно мариновалось равномерно.
5. Затем положите мясо на решетку пароварки и готовьте при небольшом кипении 40–60 мин. Подавайте горячим или холодным.

1   3   4

Кстати
В качестве гарнира к такому мясу можно порекомендовать зеленую фасоль
(см. стр. 136) и домашний кетчуп (см. стр. 222).

Буженина   Главное, что отличает правильную буженину от просто большого и вкусного куска мяса, – это характерный вкус, который она приобретает в процессе маринования. Не столь важно, какую именно часть молодой свинки вы хотите использовать – поясничную, вырезку или окорок. Или вы предпочитаете говядину? Да берите хоть медвежатину, как это делали наши предки-славяне в домостроевские времена! Но непременно нашпигуйте ее чесноком и выдержите в смеси перца и соли положенное время. А потом, готовое и полностью остывшее мясо нарежьте аккуратными ломтями – не слишком тонкими – и смело подавайте. И тогда вам точно будет чем гордиться.

**Начинайте готовить
за 17 ч до подачи**

2 кг не слишком жирной мякоти
   свинины
5 зубчиков чеснока
3 ст. л. оливкового масла «экстра
   вирджин»
3 ст. л. белого сухого вина
2 ст. л. темного соевого соуса
2 ч. л. горошин черного перца
1 ч. л. горошин душистого перца
2 ч. л. горошин розового перца
1 ст. л. молотой паприки
2 свежих лавровых листа
1 ч. л. крупной морской соли

6–8 порций
Подготовка: 12 ч
Приготовление: 5 ч

1. Мясо обсушите бумажными полотенцами. Нарежьте чеснок тонкими полосками. Нашпигуйте мясо, сделав в нем проколы узким длинным ножом или специальной иглой.
2. Плоской стороной ножа (или пестиком в ступке) раздавите горошины розового, душистого и черного перца, перемешайте с оливковым маслом, соевым соусом, солью и паприкой; смажьте мясо со всех сторон. Положите в контейнер, герметично закройте и уберите в холодильник на 12 ч.
3. Поместите мясо в пароварку, влейте вино и добавьте лавровый лист. Готовьте 3 ч, по мере необходимости подливая воду. Затем остудите, 2 ч, нарежьте ломтями и подавайте.

1 **2**

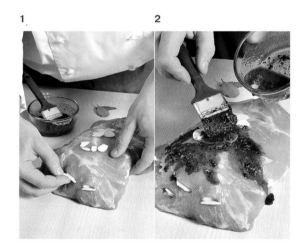

Кстати
Шпиговать мясо удобнее всего тонким длинным ножом. Нужно втыкать его в мясо перпендикулярно поверхности, затем, не вынимая, поворачивать лезвие на 90˚ – рядом образуется небольшое отверстие. В него, помогая зубочисткой, и следует засовывать кусочек чеснока или чего-то другого, чем вы шпигуете мясо. Когда «начинка» будет на месте, нож нужно аккуратно вынуть.

Свинина в наши дни совсем не такая жирная, как 50 и даже 20 лет назад – мировая мода на постное мясо делает свое дело. Свиная туша разделывается при рубке на восемь частей. Лучшими кусками считаются окорок, корейка и грудинка. Их запекают целиком и отдельными кусками, жарят под грилем и на барбекю, а также готовят на пару. К мясу второго сорта (оно более жирное) относятся пашина и лопатка – их тоже можно запечь, пустить на фарш или шашлык; а все остальные части свиной туши определяют как третий сорт. Из третьего сорта делают в основном студни. Свинину в отличие от говядины и баранины нельзя подавать недоготовленной. В ней могут остаться живыми личинки паразитов, способных вызвать многие серьезные заболевания, например трихинеллез – болезнь, требующую немедленной госпитализации. Однако, как показывают современные исследования, свинину совершенно необязательно пересушивать – при внутренней температуре мяса 72 °C (а не 82 °C, как считалось раньше) оно уже безопасно. Если у вас нет специального термометра для мяса, степень готовности можно определить «на глаз»: когда вы протыкаете мясо до центра зубочисткой, из него должен течь чистый, прозрачный сок; на разрезе мясо может быть чуть розоватым.

Свинина по-нормандски

Яблоки можно назвать символом Нормандии. Так же, как сидр и кальвадос, которыми эти яблоки и становятся в процессе сложных метаморфоз, отлично освоенных населением старинного графства. В предложенном рецепте свинины встречаются сразу все главные герои – и яблоки, и сидр, и кальвадос. Ну и мясо, разумеется, которым этот благословенный край тоже богат.

500 г свиной вырезки

3 средних твердых кисло-сладких яблока

3 средние луковицы шалота

200 мл сидра (оптимально брют)

50 мл кальвадоса

100 мл сливок жирностью не более 22%

3 ст. л. оливкового масла «экстра вирджин»

соль, свежемолотый перец

4 порции

Подготовка: 30 мин.
Приготовление: 30 мин.

1. Обсушите мясо бумажными полотенцами. Нарежьте средними кубиками.
2. Измельчите лук. Яблоки очистите от кожуры, удалите сердцевину, мякоть нарежьте толстыми дольками.
3. В глубокой сковородке разогрейте оливковое масло и быстро обжарьте свинину до образования румяной корочки. Добавьте лук, влейте кальвадос, увеличьте нагрев до максимального и готовьте еще 1–2 мин.
4. Переложите мясо в любую цельную емкость, пригодную для пароварки, посолите, приправьте перцем. Влейте сливки и сидр, добавьте яблоки и готовьте 30 мин.

Кстати

При наличии хорошей говяжьей или телячьей вырезки можете использовать ее вместо свиной. Вот только сидр и кальвадос ничем нельзя заменить – именно они придают мясу божественный вкус и аромат.

Колбаски в беконе   Такого рода еду принято жарить, а не варить в пароварке. Но вы все же попробуйте – вкус изумительный. Можно, конечно, сделать колбаски более диетическими, лишив их курдючного жира и бекона. Но, во-первых, это менее вкусно. А во-вторых, жир нужен человеческому организму в разумных количествах. Главное – не ешьте колбаски с картошкой! Подайте их с зеленым салатом, домашним кетчупом или сальсой (см. стр. 222).

500 г мякоти баранины
200 г куриного филе
50 г курдючного жира, по желанию
100–150 г тонких полосок нежирного
  бекона
1 средняя белая луковица
2 зубчика чеснока
1 ч. л. молотой паприки
1 ч. л. сухого орегано
соль, свежемолотый черный перец
крошеный лед

4–6 порций
Подготовка: 30 мин.
Приготовление: 25 мин.

1. Баранину, куриное филе и курдючный жир порубите в фарш как можно мельче тесаком или тяжелым ножом (или пропустите через мясорубку со средней решеткой).
2. Измельчите лук и чеснок. Смешайте с фаршем, приправьте паприкой, орегано, солью и перцем по вкусу. Вымешивайте фарш руками 15 мин. Всыпьте небольшую горсть крошеного льда и вымешивайте еще 5 мин.
3. Смачивая руки в горячей воде, слепите из фарша продолговатые колбаски. Разрежьте полоски бекона вдоль пополам, каждой полоской неплотной спиралью (должно быть видно мясо) оберните колбаски.
4. Уложите колбаски в пароварку, готовьте примерно 25 мин. Сок, вытекающий из проколотой колбаски, должен быть совершенно прозрачным.

3   4

Кстати
Покрошить лед проще простого, если у вас есть хороший блендер. Кстати, можно крошить не простой лед, а замороженный куриный или овощной бульон – от этого блюдо будет еще вкуснее.

Баранина с шафраном Если вы любите баранину и привыкли запекать ее в духовке, попробуйте однажды изменить привычке – сделайте паровую баранью лопатку. Это удивительно вкусно. Подавайте баранину с кускусом и приготовленными на пару или на гриле разноцветными овощами. Такое блюдо подойдет даже для самого торжественного мероприятия вроде 80-летия любимой тетушки...

1 лопатка молодого барашка
   с частью ребер весом
   примерно 2,5 кг
большая щепотка нитей шафрана
70 г сладкосливочного масла
большой пучок петрушки
2 стебля молодого лука-порея
морская соль, свежемолотый
   черный перец

6–8 порций
Подготовка: 20 мин.
Приготовление: 1,5 ч

1. Залейте шафран 2 ст. л. кипятка на 10 мин. Срежьте с баранины лишний жир, оставив очень тонкий слой.
2. Размягчите сливочное масло, смешайте с шафраном вместе с настоем, солью и перцем. Смажьте получившейся смесью кусок баранины со всех сторон.
3. Стебли порея разрежьте пополам, промойте. Уложите в пароварку петрушку и порей. На зелень положите баранину.
4. Очень плотно закройте пароварку (края можно обмотать фольгой). Готовьте до тех пор, пока баранина не станет легко сниматься с кости, примерно 1,5 ч. По необходимости доливайте воду. Подавайте очень горячей.

1   **2**

Кстати
Мясо в пароварке всегда получается очень вкусным, но все-таки бледноватым на вид. Если вы хотите его «украсить», обжарьте перед началом приготовления или, наоборот, когда мясо уже полностью готово.

Пряная ягнятина с кешью и имбирем   Мясо ягненка имеет довольно мягкий вкус, поэтому прекрасно сочетается почти с любыми специями и приправами, кроме того, оно универсально с точки зрения методов кулинарной обработки. Смесь корицы, кориандра, зиры и кардамона придает блюду ноты восточной кухни, а остроту чили смягчит натуральный йогурт. В качестве гарнира к пряной ягнятине подайте рис или кускус, а запивать ее лучше всего зеленым чаем.

700 г мякоти ягнятины
  или 1 кг корейки на косточках
1 средняя белая луковица
2 зубчика чеснока
3 см свежего корня имбиря
1 средний красный перец чили
60 г кешью
3 ст. л. оливкового масла «экстра
  вирджин»
100 мл натурального йогурта
по 1/2 ч. л. молотой зиры, корицы
  и кардамона
1 ч. л. молотого кориандра
морская соль
маленький пучок кинзы для подачи

4 порции
Подготовка: 30 мин.
Приготовление: 1 ч – 1 ч 20 мин.

1. Мелко нарежьте лук, чеснок и имбирь. Измельчите кешью и чили ножом или в кухонном комбайне.
2. Обсушите мясо бумажными полотенцами и нарежьте кубиками со стороной 4 см. Если вы используете корейку, нарежьте мясо порционными кусками так, чтобы к каждому куску «прилагалась» косточка.
3. В глубокой сковороде разогрейте оливковое масло, положите лук и готовьте, помешивая, на среднем огне до прозрачности, 5–7 мин. Добавьте чеснок, имбирь и пряности, обжаривайте 1–2 мин. Добавьте смесь кешью и чили, перемешайте и обжаривайте еще 2 мин.
4. Положите мясо в любую цельную емкость, пригодную для пароварки, добавьте пряную смесь с кешью и перемешайте, чтобы кусочки мяса были покрыты равномерно.
5. Посолите мясо, влейте йогурт и 100 мл воды и готовьте на пару до мягкости мяса, 1 ч – 1 ч 20 мин., по мере необходимости подливая воду. Отделите листочки кинзы от стеблей и посыпьте ими готовое блюдо. Подавайте горячим.

Кстати
Получившийся в результате приготовления мяса пряный бульон можно использовать двумя способами. Во-первых, процедить и подать к баранине в горячем виде. Во-вторых, влить в бульон немного красного вина и уварить в сотейнике на среднем огне примерно наполовину – получится очень вкусный соус.

Манты с бараниной и тыквой   У народов Центральной Азии есть традиционное блюдо – манты. А раз есть традиции, есть их хранители и знатоки. Они уверяют, что в настоящие манты мясо и лук необходимо рубить тесаком или очень мелко резать ножом, – а не прокручивать через мясорубку, – чтобы в каждом кусочке мяса сохранялся сок. А также неплохо добавлять в них тыкву. Раскатывая тесто, имейте в виду: середина лепешки должна быть чуть толще, чем края. И не забудьте во избежание неприятного прилипания хорошо смазать маслом решетку, на которой помещаются манты.

400 г мякоти баранины
150 г курдючного жира
250 г тыквы
2 большие белые луковицы
соль, свежемолотый черный перец
сливочное масло для смазывания
катык/сметана, масло и зелень
  для подачи

Для теста:
500 г муки
200 мл бутилированной воды
соль

6 порций
Подготовка: 1 ч
Приготовление: 40–45 мин.

1. Из просеянной муки, соли и теплой воды замесите мягкое упругое тесто, заверните в пленку и оставьте в тепле на 20 мин.
2. Мясо, лук, курдючный жир и тыкву мелко порубите, приправьте перцем, посолите по вкусу, добавьте 2 ст. л. холодной воды и тщательно перемешайте.
3. Раскатайте тесто в тонкий пласт на присыпанной мукой поверхности и вырежьте кружки диаметром 8–9 см (или нарежьте тесто такими же квадратами).
4. Разложите на кружки из теста начинку. Если в миске с фаршем скопился выделившийся сок, слейте его – он мешает лепке.
5. Соедините 4 края теста (или 4 угла, если куски квадратные) над фаршем и защипните получившиеся 4 вертикальных боковых отверстия.
6. Затем попарно соедините нижние уголки и защипните. Готовые манты сразу же закройте чуть влажным полотенцем.
7. Обильно смажьте решетку пароварки маслом, выложите манты. Готовьте на пару при сильном кипении 40–45 мин. К горячим мантам можно подать катык или сметану, сливочное масло и зелень.

3 **4** **5** **6**

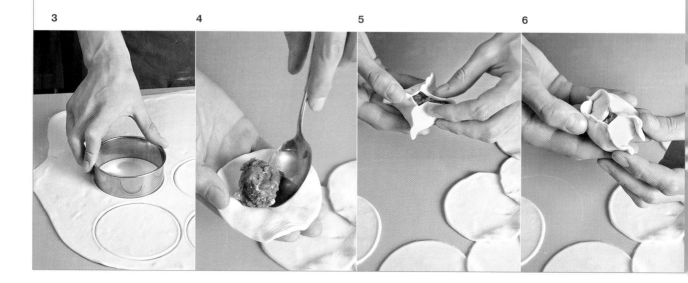

Китайские пельмени

Ну китайцы, ну молодцы! Мало того, что уже к эпохе династии Инь (XIV–XII вв. до н. э.) придумали пароварку, они и пельмени изобрели! Пароварке тогда же был присвоен свой иероглиф – «ли». Это было сложное сооружение с тремя полыми ножками, куда заливалась вода, и двухкамерным резервуаром. Под треножником разводили огонь, вода нагревалась до кипения, и пар делал свое дело – варил пельмени. Со временем пароварки видоизменялись, а вот пельмени – не особенно. В нашем рецепте пельмени самые настоящие – с имбирем и соевым соусом, но готовить их мы будем в современных и удобных приспособлениях.

400 г мякоти нежирной свинины
4 стебля зеленого лука
1,5–3 см свежего корня имбиря
4–5 веточек кинзы
2 ст. л. темного соевого соуса
жир для смазывания или лист
    китайской капусты (салата)

Для теста:
400 г муки
120 г пшеничного или кукурузного
    крахмала
1 ст. л. свиного жира
соль

Для соуса:
6 ст. л. темного соевого соуса
1 ст. л. рисового уксуса
1 ч. л. темного кунжутного масла
измельченный свежий чили
    и зеленый лук, по желанию

6 порций
Подготовка: 45–50 мин.
Приготовление: 15–20 мин.

1. Для теста муку и крахмал просейте в миску, добавьте соль и растопленный жир, влейте 200 мл горячей воды. Замесите упругое тесто и оставьте в тепле, завернув в пленку, на 20 мин.
2. Очень мелко порубите тесаком или тяжелым ножом свинину (или пропустите через мясорубку со средней решеткой).
3. Очистите и мелко нарежьте имбирь, зеленый лук и кинзу и соедините их с фаршем. Приправьте соевым соусом и перемешайте.
4. Раскатайте тесто в очень тонкий пласт. Вырежьте кружки диаметром 5 см.
5. На середину каждого положите по 1 ч. л. начинки и защипните кружок, поднимая края теста вверх так, чтобы получился маленький «хвостик» (его кончик можно оставить открытым). Готовые пельмени сразу же накройте чуть влажным полотенцем.
6. Для соуса смешайте все ингредиенты. Смажьте решетку пароварки жиром или положите лист китайской капусты или зеленого салата. Поместите пельмени в пароварку и готовьте 15–20 мин. Подавайте очень горячими и ешьте, макая в соус.

4   5

Трубочки из капусты со свининой

Листья китайской капусты имеют такую форму, что в них так и хочется завернуть какую-нибудь интересную начинку. А раз уж капуста у нас китайская, то и начинку неплохо сочинить на традиционный азиатский мотив. И рис для гарнира желательно взять хороший – длиннозерный, азиатский, и сварить его непременно в пароварке.

1 небольшой кочан китайской капусты
500 г мякоти нежирной свинины
100 г стручковой фасоли
1,5–3 см свежего корня имбиря
4 стебля зеленого лука
1 зубчик чеснока
2 ст. л. устричного соуса
2 ст. л. темного соевого соуса
щепотка свежемолотого черного перца
щепотка коричневого сахара
отварной длиннозерный рис или овощной салат для подачи

1. Отделите листья капусты от кочана, верхние, поврежденные и слишком крупные, удалите. Остальные промойте, обсушите и поместите на 4–5 мин. в пароварку.
2. Очень мелко порубите тесаком или тяжелым ножом свинину (или пропустите через мясорубку со средней решеткой).
3. Очистите имбирь и натрите на мелкой терке. Мелко порубите зеленый лук и чеснок. У стручков фасоли удалите кончики, нарежьте стручки небольшими кусочками. Соедините все компоненты с фаршем, влейте соевый и устричный соусы, приправьте перцем и сахаром и перемешайте.
4. Разложите фарш на листья капусты и сверните трубочки, аккуратно подворачивая открытые концы.
5. Поместите трубочки в пароварку и готовьте 20–25 мин. Отдельно подайте рис или овощной салат.

4–6 порций
Подготовка: 25 мин.
Приготовление: 20–25 мин.

3   4   5

Гамбургер в азиатском стиле   После появления в России известных заведений быстрого питания у наших сограждан появилось твердое убеждение в том, что гамбургер – это хоть и вкусно, но плохо. А ведь гамбургер совсем не обязательно должен быть фаст-фудом! Если вы приготовите его так, как рассказано в этом рецепте, то получите великолепное блюдо, полностью соответствующее всем критериям здорового питания.

400 г мякоти говядины с жирком
2 стебля зеленого лука
1 маленький острый красный перец чили
1 см свежего корня имбиря
1 ч. л. кукурузного крахмала
1 ст. л. темного соевого соуса
1 ст. л. светлого соевого соуса
1 ч. л. темного кунжутного масла
щепотка темного коричневого сахара
1 ст. л. сырых кунжутных семян
соль, свежемолотый черный перец
листья китайской капусты или зеленого салата
зеленый салат-микс для подачи

4 порции
Подготовка: 20 мин.
Приготовление: 25 мин.

1. Говядину порубите тесаком или тяжелым ножом как можно мельче. Нарежьте мелко зеленый лук и чили (если не любите слишком острое, удалите семена), добавьте в говяжий фарш и порубите еще раз.
2. Натрите имбирь на мелкой терке, смешайте с соевым соусом двух видов, сахаром и кунжутным маслом. Отдельно смешайте кукурузный крахмал с 1 ст. л. холодной воды.
3. Влейте крахмальную смесь в мясной фарш, тщательно перемешайте. Добавьте имбирно-соевую смесь, перемешайте еще раз. Приправьте солью и перцем по вкусу.
4. Выстелите пароварку листьями китайской капусты или зеленого салата. Влажными руками склейте из фарша 4 шарика, расплющите их в лепешки толщиной примерно 3 см и уложите на листья.
5. Кунжутные семена насыпьте в сухую сковородку, поставьте на средний огонь и обжарьте, помешивая, примерно 1 мин. Смажьте гамбургеры кунжутным маслом, посыпьте обжаренными кунжутными семенами и готовьте в пароварке примерно 25 мин. Подавайте с зеленым салатом-миксом.

Кстати
Единственное, чем этот гамбургер можно превратить в, скажем так, менее здоровую пищу, – это булочкой. Лучше подавайте его без хлеба, со свежим зеленым или овощным салатом.

8. Птица

Вы когда-нибудь пробовали просто сварить на пару куриную ножку?
Она получается невероятно вкусной. А грудку? Попробуйте – и вы удивитесь,
каким чудесным и нежным получится это довольно постное мясо.
Его не нужно ни солить, ни перчить. И гарнира к нему в общем-то не хочется –
это совершенно самодостаточная еда. Хотя немного помудрить над ней
иногда тоже не помешает...

Паштет из куриной печенки

Вроде бы нет в этом паштете ничего хитрого... А вот и есть.
Приготовленный в пароварке, он получается не просто хорошим, а необыкновенно легким и воздушным,
что, безусловно, относится к достоинствам паштетов. Добавление кальвадоса и яблок придает ему
изысканность, а розмарин – удивительную яркость вкуса.

**Начинайте готовить
за 4,5 ч до подачи**

400 г куриной печенки
1 средняя луковица шалота
100 мл нежирных сливок
1 среднее кислое яблоко
2 ст. л. кальвадоса (или коньяка)
1 веточка розмарина и/или
   2–3 свежих лавровых листа
морская соль, свежемолотый
   черный перец
сливочное масло для смазывания
тосты для подачи

6 порций
Подготовка: 20 мин.
Приготовление: 40–45 мин. + 3 ч
   для охлаждения

1. Обсушите куриную печенку бумажными полотенцами. Очистите лук и крупно нарежьте. Пропустите лук вместе с печенкой через мясорубку или очень мелко порубите тесаком.
2. Добавьте в получившийся фарш сливки и кальвадос, посолите по вкусу и приправьте черным перцем, перемешайте. Хорошенько смажьте сливочным маслом любую цельную емкость, пригодную для пароварки, и выложите в нее фарш.
3. Очистите яблоко, разрежьте на четыре части и удалите семена. Нарежьте яблоко тонкими ломтиками и уложите их в виде черепицы (ломтики должны лежать друг за другом чуть внахлест) на паштет. Сверху положите веточку розмарина и/или лавровые листья.
4. Готовьте 40–45 мин. Полностью остудите паштет, затем слегка охладите (это займет 3 ч) и нарежьте ломтиками. Подавайте паштет холодным с горячими тостами.

Кстати
Паштет на пару можно готовить и в традиционных керамических формах для паштета. Но при этом нужно увеличить время приготовления – в первую очередь для того, чтобы успела полностью прогреться сама форма. Это обычно занимает не меньше 15 мин.

Утиная грудка в сметане   Бывают на свете очень удачные стереотипы. Например: если утка – то с яблоками, если тушить – то в сметане. Вместе яблоки, утка и сметана составляют очень симпатичное трио. Приготовленная на пару утиная грудка, впитавшая аромат антоновки, утопающая в соусе, могла бы вызвать ностальгию по русской печи, где томится чугун со знатной снедью... если бы не пароварка. В ней получится ничуть не хуже.

2 филе утиной грудки на коже
1 крупное кислое яблоко, лучше
    всего антоновка
1 большая белая луковица
100 мл красного сухого вина
100 г сметаны средней жирности
2 ст. л. сливочного масла
морская соль, свежемолотый
    черный перец
листочки кресс-салата, овощной
    салат, рис или картофель для
    подачи

2 порции
Подготовка: 15 мин.
Приготовление: 25 мин.

1. Очистите луковицу и яблоко и нарежьте одинаковыми кубиками. Растопите в любой цельной емкости, пригодной для пароварки, сливочное масло и готовьте лук и яблоко до мягкости, примерно 10 мин.
2. Филе утиной грудки обсушите бумажными полотенцами и нарежьте не слишком тонкими ломтиками.
3. Уложите ломтики утки в пароварку на тушеные яблоки с луком, влейте вино, сдобрите сметаной, посолите и приправьте перцем. Готовьте при интенсивном кипении 25 мин.
4. Разложите по тарелкам, украсьте листочками кресс-салата и подавайте с овощным салатом, рисом или картофелем.

Кстати
Точно так же вы можете приготовить филе гуся, которое в больших количествах теперь продается на открытых полуоптовых рынках. Там почти нет жира, а гусиный аромат получается интенсивным, но в меру. Гусь будет готовиться чуть дольше.

Курица с грибами   Это совершенно универсальное, очень простое и при этом очень вкусное блюдо. Вы можете готовить его для себя лично (хватит почти на неделю, и с каждым днем будет все вкуснее), накормить им семью, друзей или взять с собой на пикник. Холодная курица с грибами тоже очень хороша – только без соуса, конечно. Просто так, со свежим деревенским хлебом и зеленью.

8 бедрышек цыпленка на кости
   с кожей
50 г сушеных белых грибов
400 г средних шампиньонов
100 г сливочного масла
150 мл сливок жирностью 33%
средний пучок петрушки
4 ст. л. муки
щепотка душистого перца
соль, свежемолотый черный перец

4 порции
Подготовка: 40 мин.
Приготовление: 40 мин.

1. Замочите белые грибы в 3 стаканах горячей воды на 30 мин. Затем грибы промойте, настой процедите. Залейте грибы в сотейнике настоем, поставьте на средний огонь, доведите до кипения, варите 5 мин. Выньте грибы из настоя (настой сохраните) и нарежьте полосками.
2. Куски курицы натрите солью и перцем со всех сторон, положите в пароварку. У шампиньонов, протертых влажной тряпочкой, удалите ножки (они здесь не понадобятся). Шляпки разрежьте пополам или на 4 части.
3. Приправьте шампиньоны солью и перцем, положите к курице. Готовьте в пароварке до мягкости курицы, примерно 40 мин. Через 10 мин. после начала приготовления посыпьте курицу нарезанными белыми грибами и сбрызните отваром.
4. Для соуса растопите в сковороде масло, посыпьте мукой, обжарьте, помешивая, до светло-коричневого цвета. Снимите с огня. Влейте грибной отвар и тщательно перемешайте, чтобы не было комков. Верните на небольшой огонь и готовьте, все время помешивая, 5–7 мин. Влейте сливки, добавьте душистый и черный перец, посолите и готовьте еще 2 мин.
5. Подайте курицу с грибами очень горячей, соус подайте отдельно.

Кстати
В сезон вы можете приготовить эту курицу со свежими лесными грибами, причем необязательно с белыми. Очень хороши будут лисички, подосиновики и особенно ранние весенние сморчки. Тогда вместо соуса на грибном отваре можно сделать соус бешамель (см. стр. 220).

Чахохбили из курицы   Мало кто равнодушен к яркой и самобытной грузинской кухне. Каждый из нас знаком с лобио, сациви и чахохбили не понаслышке, потому что кухня Иверии распространилась далеко за пределы своей родины. Едят там и говядину, и свинину, но предпочтение все-таки отдают курице и баранине. Хотя курица в чахохбили не аксиома, можете смело использовать индейку или дичь. Самое важное для сохранения аутентичности блюда – найти курицу, выращенную на свободном выпасе, не пожалеть свежей зелени и чеснока… и подобрать правильное вино.

1 потрошеная курица весом
 примерно 1–1,2 кг
3 больших очень спелых помидора
3 большие белые луковицы
3 зубчика чеснока
100 мл белого сухого вина
1 небольшой стручок чили
большой пучок кинзы
1/4 ч. л. уцхо-сунели
морская соль, свежемолотый
 черный перец

6 порций
Подготовка: 25 мин.
Приготовление: 40–60 мин.

1. Разрежьте курицу на порционные куски, обсушите бумажными полотенцами. Уложите в любую цельную емкость, пригодную для пароварки, посолите по вкусу, влейте вино.
2. Кинзу, чеснок и лук мелко порубите. Перец чили разрежьте вдоль, удалите семечки, мякоть нарежьте тонкими ломтиками. Растолките в ступке чеснок с кинзой в кашицу.
3. На помидорах сделайте крестообразные надрезы, залейте на 1 мин. кипятком, обдайте холодной водой и снимите кожицу. Нарежьте помидоры небольшими кубиками.
4. Добавьте подготовленные продукты к курице, приправьте уцхо-сунели, солью и перцем, перемешайте и готовьте на пару до мягкости курицы, 40–60 мин.

Кстати
Совершенно потрясающее чахохбили получается из молодых цыплят. Если цыплята весят меньше 600 г, их нужно просто разрезать пополам. А совсем маленькие цыплята-корнишоны весом 300 г и меньше готовятся целиком.

Рисовые шарики с пряной курицей   Фарш, перемешанный с рисом, – вещь всем известная и привычная. А вот когда фарш – внутри, а рис – снаружи? Получаете сразу и новый вкус, и оригинальный внешний вид. Замоченные в холодной воде зернышки риса прочно держатся на курином колобке, создавая прекрасную оболочку (похоже на ежиков, правда?), оттеняющую пряный вкус начинки.

**Начинайте готовить за 3 ч
до подачи**

2 средних филе куриной грудки
125 г риса басмати
2 зубчика чеснока
3 ломтика маринованного имбиря
2 ст. л. рисового вина
3 веточки кинзы
1 ст. л. темного кунжутного масла
3 ст. л. темного соевого соуса
1/4 ч. л. имбирного порошка
щепотка молотого кайенского перца
по щепотке свежемолотого
   душистого и черного перца
1 лавровый лист
морская соль

4 порции
Подготовка: 2 ч 25 мин.
Приготовление: 25–30 мин.

1. Залейте рис холодной водой и оставьте на 2 ч, после чего откиньте на сито и обсушите.
2. Курицу очень мелко порубите ножом или пропустите через мясорубку. Кинзу, имбирь и чеснок измельчите и добавьте к курице.
3. Влейте в фарш соевый соус, рисовое вино и кунжутное масло, приправьте перцем и имбирным порошком, солью и вымесите фарш.
4. Положите подготовленный рис на тарелку. Мокрыми руками сформируйте шарики из куриного фарша и обваляйте их в рисе. Рис должен покрывать фарш со всех сторон равномерно.
5. Поместите шарики в пароварку, добавив в воду лавровый лист, готовьте 25–30 мин. Подавайте очень горячими.

Кстати
Куриное филе вы можете заменить на 300–350 г фарша из нежирной свинины. И смело экспериментируйте со специями, чтобы сделать шарики еще более интересными. Особенно хороши здесь будут сычуаньский перец, корица и кориандр.

Курица с острым соусом в китайском стиле

Китайские рецепты часто требуют огромного количества ингредиентов. Этот рецепт – из другой китайской оперы, про лаконичность. Поэтому курицу нужно выбирать очень тщательно. Лучше всего не бройлера, а несушку, выращенную на свободном выпасе. Также очень хороши будут цыплята, приготовленные по этой технологии и политые острым, пряным и очень свежим соусом.

1 потрошеная курица весом
   примерно 1,3 кг
4 см свежего корня имбиря

Для соуса:
3–4 маленьких острых красных
   перчика чили
4 зубчика чеснока
средний пучок кинзы
1 ст. л. темного соевого соуса
1,5 ст. л. нерафинированного
   арахисового масла
морская соль, свежемолотый
   черный перец

4–6 порций
Подготовка: 10 мин.
Приготовление: 40–45 мин.

1. Разрежьте курицу вдоль пополам, обсушите бумажными полотенцами. Нарежьте имбирь очень тонкими полосками. Положите половинки курицы разрезом вниз в любую цельную емкость, пригодную для пароварки, посыпьте имбирем, готовьте при бурном кипении 35–40 мин., по необходимости доливая воду.

2. Аккуратно выньте емкость с курицей, слейте жидкость, образовавшуюся во время варки, в отдельную посуду. Отмерьте 1/2 стакана (остальной бульон не понадобится). Удалите имбирь. Курицу положите на подогретое блюдо, закройте фольгой, сохраняйте теплой.

3. Для соуса мелко порубите чили (работайте в перчатках). Измельчите чеснок, у кинзы удалите стебли, листья порубите.

4. В маленькой сковородке разогрейте арахисовое масло – чтобы оно дымилось. Снимите с огня, положите чили и чеснок, перемешайте. Верните на средний огонь на 15 сек. Добавьте кинзу, готовьте, помешивая, 20 сек. Влейте куриный бульон и соевый соус. Приправьте солью и перцем по вкусу.

5. Снимите с курицы фольгу, полейте примерно половиной горячего соуса (в основном жидкой частью), стараясь распределить его равномерно. Оставшийся соус подайте отдельно.

> **Кстати**
> Если вы не очень любите острое, перед приготовлением удалите из перчиков чили семена – в них содержится максимум капсаицина: источника остроты. Для неопытных «огнеедов» поставьте на стол рис и йогурт или кокосовое молоко – они хорошо помогают избавиться от жжения во рту. А вот вода и пиво сделают только хуже!

Курица наших дней – героическое и несчастное создание. Коротая дни в теснейших клетках, без свежего воздуха и солнечного света, питаясь одним комбикормом, она умудряется регулярно нестись, обеспечивая нас не только мясом, но и яйцами. Цыпленка, выращенного таким образом, в возрасте от полугода до 9 месяцев весом 1,5–2 кг называют бройлером. Вкус у него почти «никакой», но для подобного блюда, где мясо сдабривается яркими приправами, вполне сойдет. Если хотите сделать это блюдо по-настоящему вкусным и праздничным, используйте каплуна. Так называются выращенные на мясо кастрированные петушки. Они довольно крупные – 2–3 кг, при этом в них больше белого мяса, чем темного. Оно у них необыкновенно нежное, с приятным ароматом.

«Курица-призрак» с пастой чили и зеленым луком

Призраком эту курицу называют вовсе не потому, что ее невозможно поймать и съесть. Просто в Китае, где ее придумали, это блюдо обычно подают на поминальные столы в родительские дни. Лайм в этом рецепте, совершенно нехарактерный для Китая, указывает на влияние юго-восточных азиатских традиций.

1 большая или 2 маленькие куриные грудки с кожей на кости (примерно 600 г)
маленький пучок зеленого лука
3 зубчика чеснока
1 средний красный острый чили
1–2 ч. л. пасты чили
сок половины лайма
2 ст. л. нерафинированного арахисового масла
1 ч. л. сычуаньского перца горошком
соль

4 порции
Подготовка: 30–45 мин.
Приготовление: 10 мин.

1. Натрите курицу солью и положите в пароварку. Готовьте до мягкости, 25–40 мин. (в зависимости от размера грудки). Затем выньте, остудите, снимите с кости и разберите мясо на волокна. Жидкость, оставшуюся в пароварке, сохраните.

2. Нарежьте тонкими полукольцами острый перец. Измельчите зеленый лук и чеснок. Растолките как можно мельче сычуаньский перец в ступке. Добавьте чеснок, потолките еще немного.

3. Смешайте содержимое ступки с пастой чили, маслом, соком лайма, солью по вкусу и нарезанным чили. Добавьте 2–4 ст. л. жидкости из пароварки и перемешайте.

4. Выложите разобранную на кусочки курицу на блюдо, полейте получившимся соусом, посыпьте зеленым луком и подавайте теплой или холодной.

Кстати
В этом рецепте есть несколько не слишком распространенных у нас ингредиентов – сычуаньский перец и паста чили. Постарайтесь их найти – именно они придают блюду неповторимый аромат. Перец встречается в дорогих супермаркетах и на азиатских рынках, а паста чили очень хорошего качества продается в корейских магазинах.

Рулетики из индейки со шпинатом

Это блюдо из тех, для которых внешний вид важен ничуть не меньше вкуса. Со вкусом здесь точно все в порядке. А вот для того чтобы свернуть аккуратный рулетик, индейку необходимо хорошо отбить. Лучше всего положить шницель между двумя слоями пищевой пленки. Вместо свежего шпината зимой вполне можно взять замороженный, разморозить и отжать лишнюю воду.

4 шницеля из филе грудки индейки
    весом примерно по 150 г
300 г свежего шпината
200 г зернистого творога
    (домашнего сыра)
100 мл овощного или куриного
    бульона
1 зубчик чеснока
1 средняя луковица шалота
4 ст. л. сливок средней жирности
2 ст. л. сухого вермута
1 ст. л. оливкового масла «экстра
    вирджин»
щепотка молотого мускатного ореха
соль, свежемолотый черный перец

4–6 порций
Подготовка: 25 мин.
Приготовление: 1 ч – 1 ч 10 мин.

1. У шпината удалите стебли (они не понадобятся), листья порубите. Мелко нарежьте шалот и чеснок. Разогрейте в любой цельной емкости, пригодной для пароварки, оливковое масло, положите лук и готовьте до мягкости, 10 мин. Затем добавьте шпинат и готовьте, пока не выделится жидкость, примерно 7 мин.

2. Аккуратно слейте жидкость, отжимая шпинат ложкой (сохраните жидкость). Немного остудите шпинат и перемешайте с домашним сыром, чесноком, солью, перцем и мускатным орехом.

3. Обсушите шницели из индейки бумажными полотенцами. Закройте сложенной в несколько слоев пленкой и отбейте до толщины 5 мм. Разрежьте куски пополам.

4. На каждый кусок мяса выложите массу из шпината и сверните рулеты. Сколите деревянными зубочистками.

5. Поместите рулеты в емкость пароварки, влейте куриный бульон, жидкость от шпината, сливки и вермут, слегка посолите по вкусу и готовьте 1 ч – 1 ч 10 мин. Разложите рулеты по тарелкам и полейте образовавшимся соусом.

4

Кстати
Такие же рулеты можно приготовить из телятины или куриной грудки. Для более яркого вкуса и нежности мясо можно за 1 ч до приготовления замариновать в смеси пряных трав, молотого черного перца и оливкового масла первого отжима.

Рыба и морепродукты

Со свежей рыбой и морепродуктами случается только одна проблема (кроме их цены, разумеется) – их частенько пережаривают, переваривают, перезапекают... До такой степени, что нежнейшие создания или развариваются в хлопья, или делаются резиновыми и теряют всякий вкус. Лишняя пара минут – и все, можно выбрасывать. Пароварка – самый простой способ избежать этой проблемы. Особенно электрическая, с таймером...

Розмариновые шашлычки из форели с овощным салатом

Форель, слегка промаринованная в лимонном соке и чесноке, хороша и сама по себе. А нанизанная на изящные «шампуры» из веточек розмарина, она приобретет дополнительный аромат. Еще с древности известны многочисленные лечебные свойства этого ароматного кустарника. В нашем случае главное, что он успокаивает нервы: ведь увидев такую красоту на тарелке, любой едок может разволноваться не на шутку.

500–600 г филе форели
1 зубчик чеснока
4 ст. л. оливкового масла «экстра вирджин»
маленький пучок розмарина
сок половины лимона
морская соль и крупномолотый розовый перец

Для салата:
небольшой кочан салата романо
1 красный сладкий перец
1 небольшая красная луковица
1 средний огурец
2 средних спелых помидора
50–70 г брынзы
1 ст. л. бальзамического уксуса
1 ч. л. горчицы
4 ст. л. оливкового масла «экстра вирджин»
свежемолотый черный перец

4 порции
Подготовка: 30 мин.
Приготовление: 15 мин.

1. Для шашлычков обсушите бумажными полотенцами филе форели. Удалите пинцетом косточки и нарежьте мякоть кубиками со стороной 3–3,5 см.
2. Измельчите чеснок. Смешайте оливковое масло с лимонным соком, чесноком и перцем. Кубики рыбы посолите, положите в подготовленный маринад и оставьте на 20 мин.
3. Нанижите на веточки розмарина 3–4 кубика рыбы и поместите в пароварку. Готовьте 12–15 мин.
4. Для салата листья романо нарвите руками на удобные для еды кусочки и положите в салатник. Огурец и помидоры нарежьте крупными ломтиками, лук – толстыми кольцами. Сладкий перец разрежьте пополам, удалите семена и тонко нарежьте. Раскрошите брынзу. Положите в салатник и аккуратно перемешайте.
5. Соедините оливковое масло, уксус и горчицу и взбейте. Полейте салат, поперчите и перемешайте. Подавайте шашлычки с овощным салатом.

Кстати
Для использования розмарина в качестве шампура удалите листочки с нижней части веточек, чтобы кубики рыбы нанизывались беспрепятственно. Веточки должны быть очень свежими.

Рулетики из камбалы и лосося с белым соусом Затраты труда на приготовление этого блюда ничтожно малы, а результаты – выше всех похвал. Прежде чем сворачивать рулетики, удалите пинцетом косточки из филе лосося (они там, увы, встречаются), а с камбалы острым тонким ножом снимите кожу – если, конечно, она есть.

4 филе камбалы весом примерно
  по 150 г
4 тонких ломтика лосося весом
  примерно по 50 г
сок половины лимона
2–3 веточки лимонной мелиссы
соус бешамель (см. стр. 220)
немного красной икры
  для украшения
морская соль, свежемолотый белый
  перец

4 порции
Подготовка: 10 мин.
Приготовление: 20 мин.

1. Филе камбалы обсушите, положите на рабочую поверхность, сверху поместите ломтик лосося и несколько листочков мелиссы, сбрызните лимонным соком, посолите и приправьте перцем.
2. Сверните рулетики и заколите деревянными шпажками.
3. Поместите рулетики в пароварку и готовьте 20 мин. Пока готовится рыба, сделайте соус бешамель.
4. Разложите рулетики на подогретые тарелки, полейте соусом и украсьте небольшим количеством красной икры и листочками мелиссы.

2

Кстати
Вы можете взять для этого блюда ломтики подкопченной семги или форели, а не сырого лосося. Это придаст рулетикам совершенно другой вкус и аромат.

Попробуйте сделать это суфле не из чрезвычайно распространенной морской, а из речной форели, гораздо более вкусной. Только не из форели-пеструшки – это слишком маленькая рыбка, весом всего 200–500 г. В прудовых хозяйствах в большом количестве разводят более крупную разновидность – радужную форель. Если вы пожелаете приготовить исключительный деликатес, купите севанскую форель с жирным розовым мясом – ее разводят в Армении, на озере Севан. Или возьмите крупную озерную форель с черными пятнышками на коже в виде крестика. Ее добывают в Ладожском, Онежском озерах и на Кольском полуострове.

Суфле из форели   Суфле, без сомнения, – блюдо-аристократ. Готовое суфле подают на стол немедленно, пока оно еще «дышит», ведь soufflé в переводе с французского – «дыхание, дуновение». Это блюдо очень помогает повысить самооценку любого кулинара – от начинающего до продвинутого.

500 г филе форели
2 яйца
100 мл сливок жирностью 20%
50 г сливочного сыра
1 ст. л. лимонного сока
несколько веточек петрушки
щепотка молотого мускатного ореха
соль

4–6 порций
Подготовка: 20 мин.
Приготовление: 20–25 мин.

1. Обсушите бумажными полотенцами филе форели. Пинцетом удалите косточки и нарежьте филе небольшими кусочками. Измельчите в кухонном комбайне или блендере.
2. Отделите листья петрушки от стеблей и мелко нарежьте. Отделите белки от желтков. Белки взбейте в крепкую пену.
3. Добавьте в фарш желтки, сливки, сыр и петрушку, влейте лимонный сок, посолите, приправьте мускатным орехом и перемешайте.
4. Введите взбитые белки и аккуратно перемешайте фарш. Разложите по порционным формочкам или чашкам, поместите в пароварку и готовьте 25 мин.

Кстати
Приготовить суфле не слишком сложно – нужно только учесть несколько нюансов: яичные белки следует хорошо взбить, а затем ввести в основную массу небольшую часть – примерно четверть объема. Перемешать и лишь затем добавить остаток. Перемешивать нужно легкими движениями, снизу вверх, совсем недолго и сразу же поместить в пароварку.

Карри из белой рыбы

Смесь вкусов – соленого, сладкого, острого и кислого – вот что такое карри. Рыба и овощи, кокосовое молоко и устричный соус, характерная комбинация специй – вот и состоялось блюдо восточной кухни во всей ее магической силе. Это та еда, которую захочется приготовить еще не раз, варьируя сорта рыбы и заменяя одни овощи другими, однако карри останется с вами навсегда.

500 г филе белой рыбы
400 мл кокосового молока
200 г бамии (либо 200 г зерен
   кукурузы)
1 небольшой баклажан
2 средние луковицы
1 небольшой красный острый чили
1 зубчик чеснока
6–8 помидоров черри
1 лимон
1 ст. л. красной пасты карри
3 ст. л. соевого соуса
1 ст. л. устричного соуса
2–3 ст. л. арахисового или
   кукурузного масла
2 ч. л. коричневого сахара
1 ч. л. семян горчицы
1 ч. л. молотой куркумы
несколько веточек кинзы
2–3 перышка шнитт-лука
морская соль

4 порции
Подготовка: 20 мин.
Приготовление: 25–30 мин.

1. Нарежьте рыбу крупными кусками, посыпьте солью, сбрызните лимонным соком и оставьте на 10 мин.
2. Баклажан нарежьте крупными кубиками, лук – толстыми кольцами, помидоры черри разрежьте на половинки, чеснок мелко порубите, перец чили освободите от семян и нарежьте тонкими колечками.
3. Разогрейте масло в воке или глубокой сковородке и обжарьте чеснок, чили и пряности, 30 сек. Добавьте пасту карри, перемешайте и снимите с огня.
4. Поместите в любую цельную емкость, пригодную для пароварки, баклажаны, бамию, помидоры и лук, разложите сверху кусочки рыбы, добавьте кокосовое молоко, подготовленные специи с чесноком и чили, влейте соевый и устричный соусы, приправьте сахаром и 1–2 ст. л. лимонного сока. Перемешайте, готовьте 25–30 мин.
5. Перед подачей посыпьте мелко нарезанным шнитт-луком и листочками кинзы.

Кстати
К карри очень хорошо подавать рис – он может быть длиннозерным рассыпчатым или клейким, тайским (см. стр. 182). Паста карри бывает разного цвета в зависимости от состава, продается в азиатских отделах супермаркетов и на азиатских рынках.

Морской язык в соусе из шампанского с креветками   Морской язык – не пангасиус, а настоящий деликатесный морской язык, sole, – один из видов камбалы. Это значит, что филе его нежное и лишено костей – огромный плюс для почитателей блюд из этой рыбы, а их немало во всех странах мира. И не только сейчас, когда приобрести его не составляет труда, но и значительно раньше. Рыба «соль» упоминалась в шмелевском «Человеке из ресторана» – действие его происходило в начале прошлого века. Филе морского языка отлично сочетается с различными дополнениями, поэтому утонченный вкус соуса из шампанского придется как нельзя кстати.

500 г филе морского языка
по 2 веточки петрушки и листового
   сельдерея
1 ст. л. лимонного сока
соль, свежемолотый черный перец

Для соуса из шампанского:
250 г сырых креветок
300 мл шампанского брют
2 ст. л. сливочного масла
1 луковица-шалот
100 мл сливок жирностью 33%
2–3 веточки кервеля
соль, свежемолотый черный перец

2–4 порции
Подготовка: 15 мин.
Приготовление: 15 мин.

1. Обсушите филе бумажными полотенцами. Сбрызните лимонным соком, слегка посолите и приправьте перцем. Оставьте на 10 мин. Мелко нарежьте петрушку и сельдерей.
2. Поместите рыбу в пароварку, добавьте измельченные травы и готовьте 10 мин.
3. Для соуса мелко нарежьте лук-шалот. В сотейнике растопите сливочное масло и потушите лук до мягкости. Положите креветки, влейте шампанское и доведите до кипения. Добавьте сливки, посолите и приправьте перцем. Перемешайте и прогрейте, не доводя до кипения. Перед подачей добавьте измельченный кервель.
4. Разложите рыбу на подогретые тарелки и полейте соусом.

Кстати
В принципе, кроме морского языка можно взять и другую рыбу – но непременно морскую. Филе сибаса или какого-нибудь благородного окуня тоже прекрасно подойдет. А вот кервель трудно заменить аналогичной по аромату травой. Поскольку он не очень распространен, вы можете просто использовать любую не слишком агрессивную зелень по вашему вкусу, придав блюду другую свежую ноту.

Фаршированная щука О эта знаменитая рыба-фиш! Когда-то она была неотъемлемой частью исключительно еврейской кухни. Можно сказать, культовым блюдом праздничного стола. Главным действующим лицом тогда выступал по преимуществу карп, а вместо багета использовали мацу. Нынче рыбу фаршируют все, причем самую разную. Щука – достойный объект рыбной ловли, а также кулинарного искусства, которое непременно понадобится для приготовления этого трудоемкого, но очень вкусного блюда. Каждый уважающий себя мастер должен приготовить рыбу-фиш хоть раз, чтобы получить зачет своей кулинарной практики и заслуженные похвалы едоков.

1 целая непотрошеная щука весом
  0,7–1 кг
2 средние луковицы
1 большая морковка
2–3 ломтика багета
1 лавровый лист
5–7 горошин черного перца
0,5 ч. л. молотой паприки
соль
50 мл бутилированной воды

4–6 порций
Подготовка: 30 мин.
Приготовление: 30 мин.

1. Очистите рыбу от чешуи, вымойте и обсушите. Не разрезая брюшка, выпотрошите рыбу.
2. Аккуратно, чулком, снимите кожу до хвоста, слегка подрезая мясо острым ножиком. Не удаляя хвоста, перерубите позвоночную кость. Кожу рыбы отложите.
3. Отделите мякоть рыбы от костей. Отрежьте голову. Багет замочите в холодной воде, затем отожмите.
4. Пропустите через мясорубку рыбу, хлеб и 1 луковицу. Посолите, приправьте паприкой и тщательно перемешайте. Наполните кожу рыбы фаршем.
5. Нарежьте морковь кружочками, оставшуюся луковицу – толстыми кольцами. На решетку пароварки положите рыбью голову, лавровый лист, лук, морковь и горошины перца, сверху поместите рыбу. Готовьте 30 мин. при интенсивном кипении. Остудите рыбу, нарежьте на порции и подавайте.

1   2   4   5

Дорада со сладким перцем и цукини Дорада – рыба благородная и изысканная. Благодаря золотой отметине на лбу, удивительному вкусу плотного белого мяса и тонкому аромату ее оценили по достоинству еще в античные времена и считали даром богини любви Афродиты. Кроме всех перечисленных и несомненных достоинств дорада имеет еще одно неоспоримое и главное – в ней очень мало костей. Согласитесь, что это значительно расширяет горизонты. Ее можно готовить целиком любым удобным способом – от гриля до пара – и есть, закрывая от удовольствия глаза.

2 средние дорады весом примерно
   по 500 г
1 небольшой сладкий красный перец
1 небольшой сладкий зеленый перец
1 небольшой цукини
1 зубчик чеснока
2 луковицы шалота
1 маленький лимон
1 веточка розмарина
8–10 веточек петрушки
50 мл белого сухого вина
3 ст. л. оливкового масла «экстра
   вирджин»
морская соль, свежемолотый
   черный перец

2 порции
Подготовка: 40 мин.
Приготовление: 25 мин.

1. Очистите, выпотрошите рыбу, удалите жабры. Вымойте рыбу и обсушите бумажными полотенцами. Вложите в брюшко нарезанный тонкими ломтиками лимон и по несколько веточек петрушки.
2. Перец очистите от семян и нарежьте полукольцами, цукини – кружками, шалот – кольцами, чеснок мелко порубите.
3. Разогрейте в любой цельной емкости, пригодной для пароварки, оливковое масло, положите лук и чеснок, готовьте до мягкости, примерно 10 мин. Добавьте сладкий перец и цукини, посолите, поперчите по вкусу, готовьте еще 10–12 мин.
4. Положите рыбу на овощи в пароварку, полейте ее вином, сверху положите розмарин. Готовьте 25 мин., подавайте рыбу горячей.

Кстати
Таким же образом можно готовить любую другую морскую рыбу (скажем, небольших морских окуней разного вида или лаврака, он же сибас), а также речную, особенно форель.

Морепродукты с тофу   Это блюдо очень быстрое, и на подготовку времени нужно совсем немного – главное, чтобы под рукой оказались свежие или заранее размороженные (причем грамотно!) морепродукты. И, конечно, тофу – прекрасная еда, необыкновенно полезная, диетическая и вкусная одновременно.

300 г шелкового тофу
400 г филе мини-кальмаров
300 г сырых креветок без головы
1 небольшая морковка
100 г свежих грибов шиитаке
темное кунжутное масло

Для соуса:
1 ст. л. темного соевого соуса
1 ст. л. устричного соуса
2–3 ст. л. сухого хереса или белого
   вина
1/2 ч. л. коричневого сахара
1 ч. л. кукурузного крахмала

4–6 порций
Подготовка: 25 мин.
   (без размораживания)
Приготовление: 7–10 мин.

1. Если кальмары и креветки замороженные, заранее разморозьте их на верхней полке холодильника в дуршлаге, установленном в миске. Очистите креветки от панциря, удалите темную кишечную вену, надрежьте их так, чтобы их можно было распластать.

2. С кальмаров снимите тонкую пленку, удалите хитиновые пластинки. Разрежьте, чтобы получился плоский «лист», надсеките его чуть-чуть, неглубоко, ножом параллельными полосками.

3. Тофу аккуратно, чтобы не поломать, нарежьте острым влажным ножом на ломтики толщиной примерно по 2 см.

4. Грибы нарежьте тонкими ломтиками, морковь натрите на крупной терке. Выложите в пароварку (лучше всего на листья китайской капусты или салата-латука) поочередно ломтик тофу, филе кальмара, креветку, ломтик гриба, немного тертой морковки. Готовьте 7–10 мин.

5. Для соуса все ингредиенты, кроме крахмала, положите в сотейник, влейте 5–7 ст. л. отвара из пароварки, на небольшом огне доведите до кипения. Смешайте крахмал с 1 ст. л. холодной воды, непрерывно помешивая, добавьте в соус. Готовьте, помешивая, до загустения, 1–2 мин.

6. Выложите (аккуратно, чтобы не развалились) ломтики тофу с морепродуктами на подогретые тарелки, полейте соусом, сбрызните кунжутным маслом и подавайте немедленно.

Кстати
Для большей парадности можете посыпать готовое блюдо поджаренными на сухой сковороде кунжутными семечками – они отлично смотрятся и придают нежному тофу и морепродуктам дополнительный хрустящий «акцент».

Дим сам с креветками и китайской капустой   В китайской кухне дим сам (они же дим сум) – это самые разнообразные маленькие закуски. Часто что-то типа пельменей с разной начинкой, окруженной тонким слоем полупрозрачного теста. Их подают на стол вместе с зеленым чаем. И если на Западе в китайских ресторанах дим самы – это ланч в середине дня, то в самом Китае ими чаще всего завтракают. Считается, что степень мастерства повара прямо пропорциональна тонкости и прозрачности теста – чем тесто тоньше, тем мастерство выше.

400 г сырых креветок без головы
3 средних листа китайской капусты
1 ст. л. рисовой муки
щепотка коричневого сахара
2 ст. л. темного соевого соуса
1 ст. л. темного кунжутного масла
листья китайской капусты
   или зеленого салата

Для теста:
400 г пшеничной муки
100 г рисовой муки
200 мл бутилированной воды
1,5 ст. л. свиного жира
1/2 ч. л. соли

6 порций
Подготовка: 45 мин.
   (без размораживания)
Приготовление: 10–15 мин.

1. Для теста просейте в миску оба вида муки, добавьте соль и растопленный жир. Влейте 100 мл горячей воды. Перемешайте, добавьте 100 мл холодной воды и замесите упругое тесто. Заверните тесто в пленку и оставьте на 20 мин. в тепле.

2. Если креветки замороженные, разморозьте их заранее на верхней полке холодильника в дуршлаге, установленном в миске. Очистите креветки от панциря, удалите темную кишечную вену. У листьев китайской капусты удалите жесткие белые части (они не понадобятся). Мелко порубите креветки и листья китайской капусты, влейте кунжутное масло и соевый соус, добавьте муку и сахар; перемешайте.

3. Скатайте из теста цилиндр и нарежьте на небольшие кусочки. Раскатайте тонкие кружки диаметром примерно 5 см и разложите начинку. Защипните края, поднимая тесто вверх, оставляя в центре небольшое отверстие. Готовые пельмени сразу накрывайте чуть влажным полотенцем.

4. Дно пароварки выстелите листьями китайской капусты или зеленого салата и разложите пельмени. Готовьте 10–15 мин. при интенсивном кипении. Сразу подавайте на стол.

Кстати
Есть один хитрый способ раскатать кружки теста очень тонко. Возьмите 2 кусочка теста, скатайте в шарики. Капните на 1 шарик каплю растительного масла (лучше всего кунжутного) и приложите в этом месте второй шарик. Расплющите их вместе в лепешку и раскатайте тонко – а потом разнимите 2 кружка, каждый из которых в 2 раза тоньше того, что вам удалось раскатать! Теперь осторожно – не порвите.

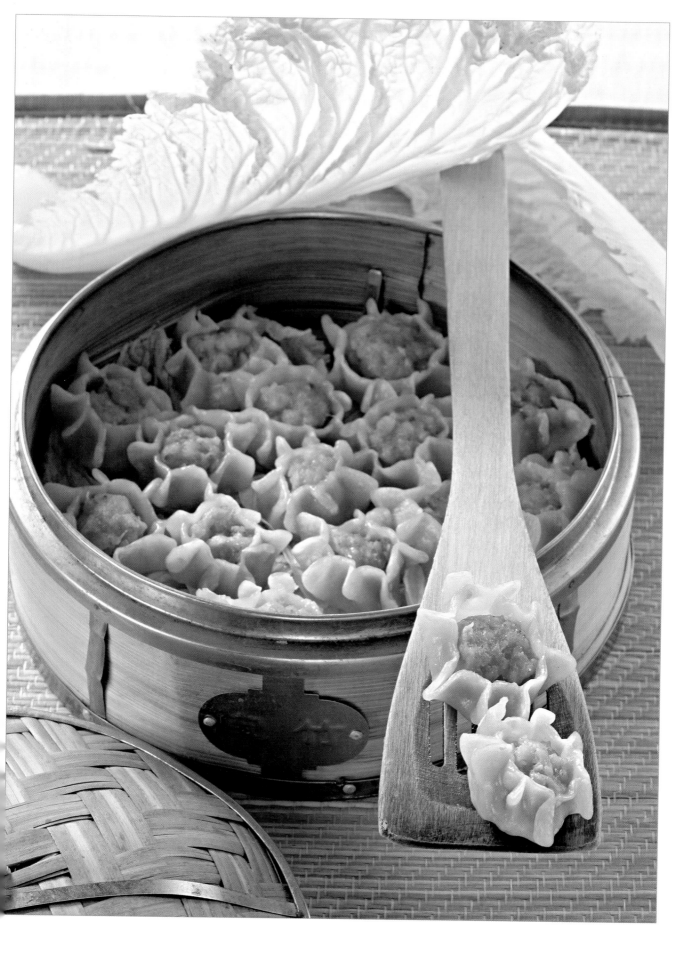

Роллы из рисовой бумаги с креветками

Роллы из рисовой бумаги с креветками   Понятно, что речь идет не о китайской бумаге для каллиграфии, а о вполне съедобной, очень даже вкусной. Приготовленная из рисовой муки и воды, рисовая бумага представляет собой тонкие и хрупкие полупрозрачные листы, которые перед употреблением замачивают в теплой воде, затем наполняют начинкой (или разными начинками), сворачивают в рулеты и получают самое распространенное блюдо азиатской кухни – spring rolls: «весенние роллы». Традиционно их готовят в первый день китайского нового года, с него же начинается и китайская весна, хотя и в остальное время года употребление роллов не возбраняется.

6 листов рисовой бумаги
10 крупных сырых креветок
2 большие пластинки маринованного
   имбиря
2 листа китайской капусты
несколько перьев зеленого лука
1 ч. л. густого устричного соуса
соль, свежемолотый черный перец
соевый соус и рисовый уксус
   для подачи

2–4 порции
Подготовка: 15 мин.
   (без размораживания)
Приготовление: 12–15 мин.

1. Если креветки замороженные, заранее разморозьте их на верхней полке холодильника в дуршлаге, установленном в миске. Очистите креветки от панциря, удалите темную кишечную вену. Мелко нарежьте креветки, лук, капусту и имбирь, добавьте устричный соус, соль и черный перец, перемешайте.
2. Положите рисовую бумагу в миску с теплой водой на 1–2 мин. (или согласно инструкции на упаковке). Выньте из воды и обсушите на кухонном полотенце.
3. Переложите листы рисовой бумаги по одному на циновку для роллов, на середину каждого поместите креветочную начинку и сверните рулетом, подворачивая открытые края. Крепко сожмите циновку на несколько секунд – это поможет склеиться краям бумаги.
4. Поместите роллы в пароварку и готовьте 12–15 мин. Отдельно подайте соевый соус, смешанный с рисовым уксусом в соотношении 3:1.

3   **4**

Кстати
Вы можете положить в начинки готовые варено-мороженые мелкие креветки (разумеется, разморозив их предварительно). Способ приготовления такой щадящий, что они не успеют перевариться.

Лосось, маринованный в пяти специях   Смесь «Пять специй» не слишком у нас известна, по крайней мере значительно меньше, чем порошок карри. Между тем в Азии эту смесь используют весьма активно. Ею приправляют мясо, рыбу и овощи, а потом запекают их или готовят на пару. В любом случае результат – пряная, чуть островатая еда – превосходен.

Начинайте готовить за 3–4 ч до подачи

600–700 г филе лосося без кожи

1 ст. л. меда

сок половины апельсина

2 ст. л. рисового вина или сухого хереса

3 ст. л. темного соевого соуса

2 ст. л. темного кунжутного масла

1/4 ч. л. хлопьев чили

1 ч. л. смеси пряностей «Пять специй» (см. «Кстати»)

морская соль

листья китайской капусты

4 порции

Подготовка: 2–4 ч

Приготовление: 10 мин.

1. Смешайте для маринада чуть подогретый мед с апельсиновым соком. Добавьте соевый соус, рисовое вино, хлопья чили и смесь «Пять специй». В самом конце добавьте кунжутное масло.
2. Очень острым ножом аккуратно нарежьте филе лосося ломтиками толщиной 2–3 см поперек волокон.
3. Положите куски филе в герметичный полиэтиленовый пакет и влейте туда же маринад. Завяжите пакет и осторожно потрясите его, чтобы все куски были покрыты маринадом.
4. Положите пакет в холодильник на 2–4 ч. Время от времени переворачивайте его, чтобы куски рыбы мариновались равномерно.
5. Выложите куски промариновавшейся рыбы в пароварку, выстланную листьями китайской капусты. При желании посолите, смажьте сверху маринадом. Готовьте, пока рыба не начнет разделяться на хлопья, примерно 10 мин. Подавайте очень горячей.

Кстати

Для смеси «Пять специй» разломайте 3 палочки корицы или кассии на небольшие кусочки. Положите в кофемолку, добавьте 1 ст. л. бутонов гвоздики, 1 ст. л. сычуаньского перца горошком, 6 звездочек бадьяна и 1 ст. л. семян фенхеля. Смелите все ингредиенты в порошок, храните в плотно закрытом контейнере в сухом темном месте.

Целая рыба по-кантонски

Такая рыба, приготовленная на пару, – одно из самых распространенных блюд в китайской провинции Кантон. Она готовится очень быстро, а сам способ позволяет сохранить в рыбе все лучшее, что дала ей природа. Вы можете взять для этого рецепта любую рыбу – речную или морскую: скажем, форель или сибас.

1 целая рыба весом 400–600 г
2–3 толстых стебля зеленого лука
китайское рисовое вино или сухой
херес

Для соуса:
1 см свежего корня имбиря
2 стебля зеленого лука
3 ст. л. светлого соевого соуса
2 ст. л. нерафинированного
арахисового масла
2 ст. л. темного кунжутного масла
соль, свежемолотый черный перец

2 порции
Подготовка: 20 мин.
Приготовление: 15–20 мин.

1. Рыбу выпотрошите, жабры удалите. Очистите рыбу от чешуи, промойте и обсушите. Не удаляйте ни плавники, ни хвост, ни голову. На боках рыбы сделайте несколько неглубоких параллельных надрезов.
2. Натрите рыбу со всех сторон рисовым вином, оставьте на 5 мин. Затем уложите в пароварку стебли зеленого лука, на них поместите рыбу – это нужно для того, чтобы пар мог проходить под рыбой и она готовилась равномерно со всех сторон. Варите 10–15 мин., в зависимости от размера рыбы.
3. Пока рыба готовится, сделайте соус. Очистите имбирь и нашинкуйте его очень тонкой соломкой. Зеленый лук нарежьте слегка по диагонали кусочками по 2 см длиной.
4. Аккуратно переложите готовую рыбу на подогретую тарелку, посолите и поперчите. Посыпьте имбирем и зеленым луком. Поставьте тарелку в раковину (иначе потом вы все забрызгаете горячим маслом).
5. В небольшой сковородке нагрейте арахисовое масло – оно должно начать дымиться. Влейте кунжутное масло, перемешайте и полейте раскаленным маслом рыбу. Поставьте тарелку на стол и полейте рыбу соевым соусом. Подавайте немедленно.

Кстати
Вместе с рыбой подайте сваренный на пару рис и паровые овощи, приправленные устричным соусом – он продается в азиатских отделах супермаркетов.

Рыба в листьях пекинской капусты   Этот способ готовить рыбу известен во всем мире. Он абсолютно элементарный – справится даже маленький ребенок! И листья тут на самом деле могут быть самые разные: от лотоса до листа банановой пальмы (правда, в более плотных листьях продукты все же чаще запекают, а не варят). Лист не только сохраняет в рыбе сок, но и придает немного своего собственного аромата.

2 толстых филе белой рыбы весом примерно по 300 г
6 больших листьев пекинской капусты
2 ч. л. пасты мисо
свежемолотый черный или белый перец

2–4 порции
Подготовка: 15 мин.
Приготовление: 10–15 мин.

1. Смажьте со всех сторон филе рыбы пастой мисо и оставьте, пока подготавливаете листья.
2. Промойте и обсушите листья капусты. Срежьте слой с кочерыжки так, чтобы толщина листа была примерно одинаковой по всей площади. Можно слегка отбить толстое место рукояткой тяжелого ножа. Положите листья в пароварку и готовьте 5 мин.
3. Выньте листья из пароварки и поместите на рабочую поверхность, слегка остудите. Уложите листья по три валетом, слегка внахлест – чтобы верхняя часть одного листа находилась рядом с нижней частью другого. Приправьте листья черным перцем.
4. На каждую «площадку» из листьев уложите наискосок по куску филе и заверните конвертом, подгибая внутрь открытые концы.
5. Уложите рыбу в листьях в пароварку и готовьте 10–15 мин., в зависимости от толщины филе. Подавайте рыбу очень горячей.

Кстати
Паста мисо – это пюре из ферментированных соевых бобов. Она продается в готовом виде, и именно ее разводят кипятком в любом японском ресторане, чтобы получить любимый многими мисо-суп. Так что легче всего купить не большую упаковку мисо, а пакет с несколькими порциями быстрорастворимого супа и использовать порции по мере надобности.

В Азии на пару готовили испокон веков и все подряд. А вот в Европе промышленное производство пароварок появилось в первую очередь в связи с желанием прогрессивных хозяек сохранить максимум пользы в овощах. Конечно, запеченные в духовке овощи тоже сохраняют сок и аромат, но в паровых больше цвета и витаминов – ведь температура-то невысокая.

Спаржа с голландским соусом

Это классическое – нет, не голландское, а французское блюдо. И соус на французский манер называется hollandaise – холландез. Весной, когда на прилавках появляется спаржа разных цветов, французы вовсю раскупают ее для семейных и парадных обедов. Готовят очень острожно, с пониманием – спаржа должна оставаться чуть хрустящей. К этому блюду не требуется ничего, кроме свежего хлеба с хрустящей корочкой, ну и, пожалуй, бокала хорошего охлажденного белого вина...

400 г молодой спаржи
ломтик лимона
1 зубчик чеснока
1 кружок луковицы
сливочное масло

Для соуса:
250 г хорошего сливочного масла
    жирностью не меньше 82%
3 больших желтка
1 ст. л. лимонного сока
соль, свежемолотый белый перец

4 порции
Подготовка: 15 мин.
Приготовление: 10–15 мин.

1. Очистите нижние концы стеблей спаржи ножом для чистки овощей. Если кончики очень жесткие, отломите их (они отламываются обычно ровно там, где нужно). Растопите масло и кулинарной кисточкой слегка смажьте стебли спаржи со всех сторон. В воду в пароварке положите ломтик лимона, зубчик чеснока и кружок лука.
2. Для соуса нарежьте масло небольшими кусочками, положите в небольшой сотейник с толстым дном и поставьте на небольшой огонь. Когда почти все масло растает, снимите с огня и дайте всем кусочкам растаять полностью.
3. Подготовьте водяную баню и небольшую жаропрочную миску, в которой вы будете готовить соус. Положите в миску желтки и взбейте венчиком до однородности. Продолжая взбивать, влейте лимонный сок. Приправьте солью и перцем.
4. Ни на секунду не прекращая взбивать, постепенно, медленно добавьте в желтковую смесь растопленное масло и 2 ст. л. горячей воды.
5. Установите миску на водяную баню и, продолжая взбивать, готовьте соус до загустения, примерно 10–15 мин.
6. Одновременно начинайте готовить в пароварке спаржу. В зависимости от толщины стеблей это займет 5–10 мин.
7. Выложите стебли на подогретую тарелку, на нее же поставьте небольшую плошку (тоже подогретую), в которую нужно налить соус. Каждый сам будет решать, поливать соусом спаржу или обмакивать стебли в него.

Кстати
В идеале спаржу нужно готовить не только на пару, но и «стоя», то есть установив вертикально в узкой высокой кастрюле. Тогда более грубые нижние концы готовятся быстрее, и нежные верхушки спаржи не успевают перевариться. Во Франции такие кастрюли (состоящие из двух частей, внутренняя представляет собой узкий высокий дуршлаг) продаются в любой посудной лавке. Но даже если у вас ее нет, не расстраивайтесь, варите на пару как обычно – просто следите за временем.

Морковь по-корейски Корейская кухня – это кухня-загадка. Непонятно, как из простой морковки получается столь любимая закуска с ярким и неожиданным вкусом. Для начала натрите морковку на специальной терке или долго и качественно шинкуйте ножом. А когда салат будет полностью готов, забудьте о нем на некоторое время. Если приготовленные таким образом овощи постоят на холоде около суток, то станут еще вкуснее. Кстати, точно по этому же рецепту можно приготовить свеклу.

Начинайте готовить за 13 ч до подачи

3 средние морковки
3 зубчика чеснока
100 мл растительного масла
50 мл яблочного уксуса
по 1/2 ч. л. молотого кориандра,
   паприки и острого красного перца
1/4 ч. л. глютамата натрия,
   по желанию
соль, свежемолотый черный перец

4–6 порций
Подготовка: 20 мин.
Приготовление: 12 ч 15 мин.

1. Морковь очистите и обсушите бумажным полотенцем. Нарежьте тонкими ломтиками, затем – тонкими длинными полосками (или натрите на специальной терке).
2. Чеснок очень мелко порубите и добавьте к моркови; поместите смесь в пароварку. Готовьте 12 мин.
3. Разогрейте растительное масло и влейте в морковь, добавьте уксус, все специи и соль и перемешайте.
4. Поставьте на морковь небольшой гнет, остудите и уберите в холодильник на 12 ч.

Кстати
Глютамат натрия – очень распространенная приправа в азиатских кухнях. Именно она заставляет нас хотеть приправленную глютаматом еду еще и еще. Медики сомневаются в ее пользе для здоровья – так что вы имеете полное право от нее отказаться. Но помните, что в любой покупной корейской морковке глютамат присутствует по полной программе.

Зеленая фасоль в китайском стиле   В Азии очень любят стручковую фасоль – там ее видов раз в десять больше, чем в Европе. Но для приготовления этого блюда вполне подойдет наша обычная зеленая фасоль, только обязательно свежая, а не замороженная. А вот вкус у блюда совершенно непривычный, не то что давно надоевшая фасоль, залитая яйцами.

400 г зеленой стручковой фасоли
2 см свежего корня имбиря
2 зубчика чеснока
1/2 ч. л. коричневого сахара
1/2 ч. л. кукурузного крахмала
1 ст. л. темного соевого соуса
1 ч. л. темного кунжутного масла
2 ст. л. нерафинированного
   арахисового масла
1/4 ч. л. хлопьев чили

4 порции
Подготовка: 20 мин.
Приготовление: 5 мин.

1. Отрежьте или отломите у стручков фасоли кончики, если в них есть жесткая «струнка», удалите ее. Слишком длинные стручки разрежьте пополам.
2. Поместите стручки в пароварку, готовьте 5 мин. Положите фасоль в ледяную воду на 1 мин. и откиньте на дуршлаг.
3. Чеснок и имбирь очистите и натрите на терке. В любую цельную емкость, пригодную для пароварки, влейте орахисовое масло, добавьте имбирь и чеснок, готовьте 5 мин. Положите фасоль, готовьте еще 3 мин.
4. В миске смешайте крахмал с 2 ст. л. холодной воды, соевым соусом, кунжутным маслом, сахаром и хлопьями чили. Все тщательно перемешайте, полейте фасоль и снова перемешайте.
5. Прогрейте фасоль с соусом, пару раз перемешав, примерно 3 мин. Подавайте очень горячей.

Кстати
Не переварите фасоль – она потеряет всю свою прелесть. Готовые стручки должны оставаться чуть хрустящими. Помните, если вы, вынув стручки из пароварки, не обдадите их холодной водой, они будут продолжать еще некоторое время «готовить сами себя».

Брокколи (или цветная капуста) под соусом бешамель   Брокколи – одна из древнейших овощных культур, горячо любимая древними греками и римлянами. Они употребляли ее еще более 2000 лет назад, называя одним из благословенных растений. Мы же свой выбор в пользу этой королевы капуст сделали относительно недавно, но твердо. Глупо не готовить замечательно вкусные и полезные блюда из овоща, который содержит всего 25 ккал на 100 г, служит надежным оружием против стресса и активно замедляет процесс старения организма. Готовить брокколи – дело нехитрое, главное правило – не переваривать, именно поэтому имеет смысл использовать пароварку.

1 кочан брокколи (или цветной
   капусты)
соус бешамель (см. стр. 220)
несколько веточек тимьяна
маленькая горсть сырого
   очищенного миндаля
морская соль

4 порции
Подготовка: 10 мин.
   (без приготовления соуса)
Приготовление: 10–12 мин.

1. Отрежьте у капусты нижнюю, жесткую часть стебля. Разберите брокколи (цветную капусту) на небольшие соцветия. Нижнюю часть стебля очистите от грубой кожицы и разрежьте вдоль на 4 части.
2. Уложите капусту в пароварку и слегка посолите. Готовьте 10–12 мин. Капуста должна стать мягкой, но не переваренной.
3. Порубите миндаль или нарежьте пластинками. По желанию положите миндаль на сухую разогретую сковородку и обжарьте, помешивая, на среднем огне, 1–2 мин.
4. Переложите капусту на подогретое на блюдо, полейте соусом бешамель (количество по вкусу) и посыпьте миндалем и листочками тимьяна. Подавайте немедленно.

Кстати
Если вы добавите в только что приготовленнный соус бешамель натертый на мелкой терке твердый сыр (швейцарский, грюйер, пармезан) и прогреете, пока он полностью не растворится, то получите соус морне. Он великолепно подходит к паровой капусте. Или можете добавить не твердый сыр, а сыр с голубой плесенью, предварительно раскрошив – тоже будет необыкновенно вкусно.

Всю современную морковь можно разделить на «восточную» и «западную». Восточная растет в Центральной и Средней Азии, она желтого и фиолетового цвета. Западная морковь в основном оранжевая, хотя бывает желтая, красная и фиолетовая. У разных сортов моркови разное кулинарное предназначение. У цилиндрической с закругленным концом (например, нантской) очень сладкая и нежная мякоть, ее нужно есть просто так и в салатах. Сорта с тупо-конической формой корнеплода, короткие и толстые морковки (шантенэ), лучше тушить, запекать и класть в супы. Морковь конической формы, резко сужающейся к заостренному концу (данверс), можно использовать как детское питание. Из длинных гладких морковок, в которых почти не видна сердцевина (нандрин), лучше делать сок, а длинные, крупные ровные (королева осени) универсальны, их можно использовать как угодно. Покупая морковь, выбирайте самую яркую – в ней больше каротина.

Морковь в марокканском стиле   Приготовленную таким образом морковь можно подавать как самостоятельное блюдо (например, во время поста) со свежим хлебом или горячим кускусом. А можно в качестве гарнира к мясу. Особенно хорошо она сочетается с бараниной и курицей. Если вы решите приготовить это блюдо в сезон, когда на грядке созревает юная морковка, ее можно вообще не резать – просто почистить и готовить целиком, прямо с хвостиками.

400 г молодой моркови каротель
2 зубчика чеснока
сок половины лимона
3 ст. л. оливкового масла «экстра вирджин»
1 ч. л. коричневого сахара
по 1/2 ч. л. молотых корицы, зиры, кориандра, мускатного ореха, душистого и кайенского перца
морская соль

4 порции
Подготовка: 10 мин.
Приготовление: 40 мин.

1. Морковь нарежьте слегка по диагонали кусками толщиной 1 см (или оставьте мини-морковку целой). Положите в пароварку и готовьте 10 мин.
2. Чеснок раздавите и порубите. В небольшой сковородке разогрейте масло, положите чеснок, обжаривайте 1 мин. Добавьте сахар и все специи, готовьте 30 сек.
3. Влейте лимонный сок, перемешайте и снимите с огня. Полейте получившейся заправкой горячую морковь, посолите по вкусу, перемешайте.
4. Остудите морковь до комнатной температуры, примерно 30 мин., и подавайте.

Кстати
По этому же рецепту можно готовить и другие корнеплоды со сладкой мякотью – репу, пастернак, сладкий картофель...

Цукини с чесночным маслом   Цукини можно варить, жарить, запекать, готовить на пару или есть сырыми. Эти овощи с нежным почти нейтральным вкусом и свежим ароматом не только необыкновенно вкусны, но и легко усваиваются, в них мало калорий и множество полезных веществ. Они прекрасно сочетаются с пряными травами и чесноком, а с хорошим оливковым маслом способны передать все богатство вкуса средиземноморской кухни. Чем моложе цукини, тем меньше времени требуется на их приготовление, так что имеет смысл выбирать самые небольшие экземпляры. Ярко-зеленую кожицу можно не снимать – она не только не ухудшит вкус, но и будет радовать глаз.

2 молодых цукини
2 зубчика чеснока
1 ч. л. лимонного сока
2 веточки базилика
4 ст. л. оливкового масла «экстра вирджин»
соль, свежемолотый черный перец

2–4 порции
Подготовка: 10 мин.
Приготовление: 10–12 мин.

1. У цукини удалите концы, разрежьте плоды вдоль на 4 части. Если плоды крупные, разрежьте их еще и поперек на 2–4 части. Поместите цукини в пароварку и готовьте 10–12 мин.
2. Измельчите чеснок. Отделите листья базилика от стеблей. Растолкните в ступке чеснок и листья базилика в пасту. Продолжая растирать, постепенно влейте оливковое масло и лимонный сок, посолите и поперчите по вкусу, взбейте вилкой.
3. Ломтики цукини крупно нарежьте, уложите на подогретые тарелки, полейте чесночным маслом и подавайте горячими или холодными.

> **Кстати**
> Зеленая заправка может быть сделана из любых других пряных трав по вашему вкусу. Очень хорошо сочетаются с цукини тархун и фиолетовый базилик (рейхан). Оригинальной и вкусной получается заправка из руколы или кресс-салата. Ну и, разумеется, ничуть не меньше годятся в друзья цукини наши родные петрушка и укроп.

Лук-порей когда-то был выведен из дикого лука, растущего в Средиземноморье. Это растение человечество использует в пищу давным-давно. Лук-порей, например, является национальной эмблемой Уэльса. Упоминания о нем как об амулете – защите от вражьих сил – встречаются еще в древнем скандинавском эпосе «Старшая Эдда». Порей нужно было бросить в эль – выпившего этот напиток никто не мог отравить. Лук обладает богатым вкусом и ароматом, в нем много солей калия и витамина С. В пищу чаще всего идет только нижняя, белая часть лука-порея – верхняя слишком грубая. Сырым его практически не едят – он очень жесткий и волокнистый. Порей нужно тщательно мыть перед использованием – между его слоями в основании часто прячется песок.

Лук-порей с горчичным соусом

Это классическое французское блюдо можно подавать горячим, теплым или полностью остывшим, а значит, оно идеально для больших вечеринок, особенно для тех, где фуршетный стол.

24 стебля молодого лука-порея
(только белая часть)
3 яйца
4–5 веточек петрушки

Для соуса:
3 средние луковицы-шалот
3 ст. л. дижонской горчицы
4 ст. л. белого винного уксуса
3/4 стакана оливкового масла
«экстра вирджин»
морская соль, свежемолотый белый
перец

6–8 порций
Подготовка: 30 мин.
Приготовление: 20 мин.

1. Для соуса очень мелко порубите лук-шалот. Взбейте горчицу с уксусом, постепенно, не переставая взбивать, влейте оливковое масло. Приправьте солью и перцем по вкусу.
2. Яйца сварите вкрутую, очистите, полностью остудите. По отдельности измельчите желтки и белки, затем петрушку.
3. Стебли порея разрежьте вдоль пополам и тщательно промойте от песка. Положите стебли в пароварку разрезом вниз и варите 15 мин.
4. Готовый порей выложите на блюдо и, пока он еще горячий, полейте горчичным соусом. Посыпьте лук желтками, белками и петрушкой так, чтобы получились разноцветные полоски, и подавайте.

Кстати

Для больших приемов, когда нужно приготовить много, это блюдо можно сделать накануне и хранить в холодильнике. Только не заливайте порей соусом – лучше сделать это непосредственно перед подачей. Тогда же порей можно прогреть или подать холодным.

Рататуй   Между прочим, по-французски ratatouille – это не только изящное и легкое блюдо из овощей, но и «взбучка». Сочинили эту «взбучку» прованские крестьяне, у которых растут чуть ли не лучшие овощи в мире. Рататуй абсолютно самодостаточен, хотя вполне может быть использован и как гарнир. Ключевое звено рататуя – хорошие, сочные помидоры. Чеснок, молодые овощи, пряные травы и хрустящий багет в придачу – и вот перед вами в тарелке настоящий праздник, который еще и фигуре нисколько не повредит.

1 крупный красный сладкий перец
1 крупный желтый сладкий перец
1 крупный баклажан
1 крупный цукини
2–3 очень спелых крупных помидора
1 сладкая красная луковица
2–3 зубчика чеснока
несколько капель острого перечного
   соуса (типа табаско)
по 1–2 веточки петрушки, тимьяна,
   орегано, майорана
2 ст. л. оливкового масла «экстра
   вирджин»
соль, свежемолотый черный перец

4–6 порций
Подготовка: 30 мин.
Приготовление: 25 мин.

1. Цукини и баклажан нарежьте тонкими ломтиками. Красный и желтый перец разрежьте вдоль, удалите семена, мякоть нарежьте крупными квадратами. Поместите овощи в пароварку и готовьте 16–18 мин.

2. Лук нарежьте тонкими полукольцами, помидоры кубиками, чеснок мелко порубите.

3. Разогрейте в глубокой сковороде оливковое масло и потушите лук и чеснок на среднем огне 4–5 мин., добавьте помидоры и готовьте 5–7 мин., часто перемешивая. Положите зелень, перемешайте. Приправьте острым соусом, поперчите и посолите по вкусу.

4. Выньте овощи из пароварки, заправьте томатным соусом и дайте настояться, 20 мин.

Кстати
Зелень для рататуя вы можете выбирать по собственному вкусу – кому-то покажется, что вполне достаточно одного тимьяна, другому нужен весь сезонной букет... Вы можете готовить рататуй и с сушеной зеленью – вполне подойдет смесь, которая у нас называется «Прованские травы». Только кладите ее в соус вместе с помидорами, чтобы она успела приготовиться.

Баклажаны с чесноком и мятой   Изумительно фиолетовый, глянцевый, приятный на ощупь баклажан настолько хорош, что, прежде чем из него что-то готовить, хочется просто подержать его в руках и полюбоваться на великолепную – что бы вы думали? – ягоду. Баклажаны готовят сотней разных способов, потому что они отлично комбинируются с самыми разными продуктами и специями. Есть среди них и такое сочетание: баклажан, чеснок и мята. И один раз попробовав, можно точно сказать: они просто созданы друг для друга!

3 небольших или 2 крупных
   баклажана
3 зубчика чеснока
3–4 большие веточки мяты
2 пера зеленого лука
1 ч. л. семян обжаренного кунжута
3 ст. л. соевого соуса
1 ч. л. лимонного сока
1 ст. л. темного кунжутного масла
2 ст. л. нерафинированного
   арахисового масла
морская соль, свежемолотый
   черный перец

4 порции
Подготовка: 40–60 мин.
Приготовление: 10 мин.

1. У баклажанов удалите кончики, разрежьте баклажаны поперек на 3–4 части. Посолите, положите в дуршлаг и оставьте на 20–30 мин. Затем промойте, поместите в пароварку и готовьте до мягкости, 25–30 мин.
2. Отделите листочки мяты от стеблей и крупно порубите. Измельчите зеленый лук и чеснок.
3. Смешайте арахисовое масло, кунжутное масло, лимонный сок, соевый соус, лук и чеснок. Приправьте солью и перцем по вкусу.
4. Нарежьте подготовленные баклажаны кубиками, положите в миску и полейте соусом. Посыпьте кунжутом и листочками мяты, аккуратно перемешайте.

Кстати
Семена кунжута продаются сырыми или уже обжаренными. Мы вам рекомендуем покупать сырые семена и обжаривать их самостоятельно небольшими порциями – ровно столько, сколько нужно для данного конкретного блюда. Сделать это просто: насыпьте семена в холодную сухую сковородку и поставьте на средний огонь. Помешивайте, чтобы семена не подгорали. Через пару минут все готово. Из заранее обжаренных семян тот волшебный аромат, за который мы их так ценим, улетучивается в течение пары часов.

Шампиньон – самый распространенный гриб на свете, если судить по прилавкам супермаркетов. Его можно выращивать круглый год в любом подвальном помещении, где поддерживается определенные влажность и температура. В природе он чаще всего растет в лугах или вблизи человеческого жилья, причем необязательно в садах и парках – может и в пыльном дворе на детской площадке. Шляпка у молодого шампиньона снежно-белая, загнутая внутрь; со временем она темнеет и распрямляется. Пластинки от светло-розовых до темно-коричневых, ножка и мякоть белые, плотные, на изломе краснеют. Покупая шампиньоны, выбирайте самые крепкие, белые и блестящие. Впрочем, коричневые шампиньоны (они тоже должны быть крепкими и хрустящими на изломе) для этого рецепта подойдут ничуть не хуже.

Зеленый горошек с грибами

Нам столько лет назойливо демонстрировали один только зеленый горошек в банках, что мы успели забыть, какой он на самом деле вкусный, красивый и полезный. Но промышленная заморозка вернула нам горошек во всей красе – из пакета он порой даже вкуснее, чем с грядки. Но готовить его нужно очень быстро – иначе он потеряет всю свою нежность.

400 г очень мелких шампиньонов
400 г зеленого горошка, свежего
  или мороженого
100 г сливочного масла
2–3 зубчика чеснока
средний пучок петрушки
сок и цедра половины лимона
соль, свежемолотый черный перец

4–6 порций
Подготовка: 20 мин.
Приготовление: 10 мин.

1. Заранее охладите масло. Шампиньоны протрите влажной тряпочкой. Удалите ножки (они не понадобятся). На шляпках сверху сделайте крестообразные надрезы.
2. Уложите шампиньоны в любую цельную емкость, пригодную для пароварки, сбрызните лимонным соком, приправьте цедрой и черным перцем. Готовьте 10 мин.
3. Пока готовятся грибы, измельчите петрушку вместе с чесноком. Мелко нарежьте масло и порубите его вместе с петрушкой и чесноком. Приправьте получившуюся смесь солью и перцем.
4. Добавьте горошек к грибам, посыпьте масляно-петрушечной смесью. Готовьте 5–10 мин. Подавайте немедленно.

Кстати
Вы можете сделать азиатский вариант этого блюда, заменив горошек гороховыми сахарными стручками, шампиньоны – шиитаке, а сливочное масло – смесью арахисового и темного кунжутного. А можете приготовить нечто среднее, как наши повара, которые добавили к горошку горсть стручков.

Тыквенные мини-пудинги с курицей и перцем

Тыква – такая вкусная штука, что может «играть» практически в любом блюде. Но почему-то на закуску мы ее едим редко – все больше в виде супа или в каше. Попробуйте подать мини-пудинги в начале обеда или сделайте их главным блюдом вашего стола – только тогда готовьте побольше!

500 г тыквы
2 яйца
3–4 ст. л. готового отварного риса
2 ст. л. с горкой рисовой муки
500 мл куриного бульона
1 ст. л. топленого масла
соль, свежемолотый черный перец
темное кунжутное масло

Для начинки:
200 г филе куриной грудки
1 маленький красный сладкий перец
1 средняя белая луковица
порошок карри
соль, свежемолотый черный перец
топленое масло

6–8 порций
Подготовка: 25 мин.
Приготовление: 30–40 мин.

1. Очистите тыкву от кожуры и сердцевины, натрите на терке. В сотейнике с толстым дном разогрейте на среднем огне топленое масло, положите тыкву и перемешайте, снимите с огня. Добавьте слегка взбитые яйца и перемешайте.

2. В холодный бульон просейте рисовую муку, поставьте на слабый огонь и, постоянно помешивая венчиком, доведите до кипения. Жидкость должна загустеть. Снимите с огня и мешайте венчиком 1 мин.

3. Влейте загустевшую жидкость в сотейник с тыквой, добавьте рис и кунжутное масло по вкусу, посолите и поперчите.

4. Приготовьте начинку. Разогрейте в сковороде немного масла, положите филе и обжарьте с обеих сторон до золотистой корочки. Слегка остудите и нарежьте маленькими кубиками.

5. Очень мелко порубите лук. Сладкий перец очистите от семян, нарежьте как можно более тонкими полосками по 3 см длиной. Положите овощи в сковороду, где жарилась курица, добавьте масло и обжарьте на среднем огне до золотистого цвета лука, примерно 10 мин. Положите курицу, приправьте ее солью, перцем и карри по вкусу, готовьте 2 мин. Снимите с огня.

6. Смажьте формочки для пудингов маслом, разложите начинку, сверху выложите тыквенную массу. Установите формочки на решетку пароварки и готовьте 30–40 мин. Подавайте теплыми или остывшими.

2   **3**

Кстати
Смесь для теста можно сделать более пряной, добавив молотый душистый перец и мускатный орех. Немного слегка обжаренного зеленого лука в тесте тоже не помешает.

Картофель в мундире с тремя дипами

Как бы вы ни пытались сварить картофель в мундире вкусно, без пароварки все будет не то. Только приготовленный на пару он будет в меру мягким, в меру сухим, аккуратнтым и красивым. Он будет своеобразной рамкой для дипов-картинок из лосося и лука, сметаны и огурца. Вам только и останется, что распорядиться этой палитрой на радость ближним.

750–800 г некрупного картофеля

1. Картофель тщательно вымойте щеткой и поместите в пароварку.
2. Готовьте 45 мин. при интенсивном нагреве.

Дип с перцем и луком

2 разноцветных сладких перца
150 г обезжиренного мягкого
   творога
100 г сливочного масла
2 ст. л. натурального йогурта
7–10 перьев шнитт-лука
несколько веточек укропа
1 ч. л. горчицы
соль, свежемолотая смесь перцев

1. Перемешайте в миске размягченное сливочное масло, горчицу, творог и йогурт до однородности.
2. Разрежьте сладкий перец вдоль пополам, удалите семена, мякоть нарежьте мелкими кубиками. Шнитт-лук и укроп измельчите.
3. Добавьте овощи и травы в творожно-масляную смесь, посолите, приправьте смесью из трех видов перца и аккуратно перемешайте.

Дип из творожного сыра и маринованного огурца

250 г обезжиренного творога
100 г свежего творожного сыра
2 средних маринованных огурчика
половина сладкой красной луковицы
по несколько веточек кинзы,
   петрушки, мяты, тимьяна
соль, свежемолотый черный перец

1. Лук и огурцы нарежьте мелкими кубиками, листочки пряных трав отделите от стеблей и мелко нарежьте.
2. Перемешайте творог, творожный сыр, огурцы, лук и травы, приправьте перцем, посолите.

Дип из козьего сыра и копченого лосося

150 г мягкого козьего сыра
100 г копченого лосося
100 г сметаны
средний пучок укропа
2 перышка зеленого лука
соль, свежемолотый черный перец

1. Удалите косточки из лосося и нарежьте его мелкими кубиками, измельчите укроп и зеленый лук.
2. Перемешайте козий сыр и сметану, добавьте лосося и зелень, приправьте перцем и посолите по вкусу.

4 порции
Подготовка: 30–50 мин.
Приготовление: 45 мин.

Кстати
Это блюдо очень здорово подавать на пикниках. Если хотите поразить друзей-приятелей, сварите понемногу разного картофеля – обычного (побелее и пожелтее) и красного. Вперемежку он смотрится весьма живописно. И даже можете купить сладкий картофель – его клубни больше, и готовить их нужно дольше, но он очень вкусный и вполне подойдет ко всем этим дипам.

Флан из моркови и кольраби Когда-то флан по умолчанию был десертом с долгой и богатой историей – его подавали во Франции еще в XVIII веке. Но времена меняются, меняются и фланы. Появились сотни рецептов, где главный герой с последней строчки меню перемещается на первую. Наш вариант – флан из моркови и кольраби – прекрасно выступит в роли entrée (главного блюда) или hors-d'œuvre (закуски).

2 кочанчика кольраби
2 средние морковки
1 средняя луковица шалота
1 зубчик чеснока
100 мл молока
200 г свежего творожного сыра
50 г сливочного масла
2 ст. л. сметаны средней жирности
3 веточки петрушки
1/2 ч. л. сельдерейной соли
свежемолотый перец

6 порций
Подготовка: 15 мин.
Приготовление: 25–30 мин.

1. Очистите кольраби и морковь и нарежьте тонкими маленькими ломтиками. Поместите в пароварку и готовьте 5 мин.
2. Мелко нарежьте лук-шалот, чеснок и петрушку. Смешайте с молоком, сметаной, творожным сыром, добавьте соль и перец. Соедините с подготовленными овощами и перемешайте.
3. Формочки для суфле смажьте сливочным маслом и разложите в них полученную смесь. Поместите в пароварку и готовьте 25–30 мин. Подавайте немедленно.

Кстати
Кольраби можно заменить на любую другую капусту: обычную белокочанную, краснокочанную, брокколи или брюссельскую. Главное, чтобы во время предварительной подготовки и приготовления капуста стала мягкой – для этого нужно ее тонко нарезать.

Цветная капуста – это цветоножка с недоразвившимися соцветиями. Чем головка плотнее и чем тяжелее кочан, тем он качественнее. Покупая цветную капусту, следите, чтобы на кончиках соцветий не было черных пятен, а если они появились, обязательно срежьте их перед тем, как варить капусту. При том, что цветную капусту можно с пользой и удовольствием есть в сыром виде, есть только один способ ее первичной тепловой обработки – варка. Но многие не любят ее запах. Можно исправить ситуацию, положив в закипевшую на дне пароварки воду пару лавровых листьев.

Фальшивое картофельное пюре с сыром   Это пюре особенно хорошо для тех, кто по-какой-то причине не ест картофель. Сидит на диете Аткинса, например. Или просто картошку не любит. Из цветной капусты оно получается необыкновенно вкусным и оригинальным, да еще и очень полезным.

1 средний кочан цветной капусты
   весом примерно 700 г
2 ст. л. сливочного масла
2 ст. л. сметаны средней жирности
2 желтка
1 ст. л. оливкового масла «экстра
   вирджин»
1/2 ч. л. молотой куркумы
морская соль, свежемолотый белый
   перец
твердый сыр (грюйер, пармезан,
   швейцарский) для подачи

4–6 порций
Подготовка: 25–40 мин.
Приготовление: 10 мин.

1. Обрежьте с кочана все листья, удалите кочерыжку (все это не понадобится). Разберите цветную капусту на небольшие соцветия и положите в пароварку. Готовьте до мягкости, 20–35 мин.
2. Растопите сливочное масло и слегка остудите. Смешайте сливочное масло, оливковое масло, сметану и желтки и взбейте венчиком. Добавьте куркуму, взбейте еще раз.
3. Разомните готовую горячую капусту толкушкой и влейте в нее масляно-желтковую смесь. Тщательно перемешайте, приправьте солью и перцем. Прогрейте в пароварке, помешивая, примерно 5 мин.
4. Разложите пюре на подогретые тарелки, сверху посыпьте стружкой твердого сыра. Подавайте немедленно.

Кстати
Разумеется, такое пюре можно приготовить и из брокколи. В этом случае оно, конечно, не будет напоминать картофельное, но менее вкусным не станет.

Постные голубцы с перловкой Голубцы – это что-то из детства, правда? Только мамины руки способны были на все эти манипуляции: прокрутить фарш, отбить капустные листы, свернуть аккуратные конвертики... Теперь пора нам самим готовить эту прекрасную, очень здоровую и вкусную еду для наших детей и любимых. Предлагаем вам постный вариант – без мяса, зато с грибами и перловой крупой. Отлично получается!

1 маленький кочан капусты
2 горсти перловой крупы
5 небольших свежих или
    замороженных белых грибов
15 средних шампиньонов
половина небольшого корня
    сельдерея
1 небольшая морковка
1 средняя луковица
2 ст. л. любого нерафинированного
    масла по вашему вкусу
соль, свежемолотый черный перец

Для соуса:
1 средний свежий или
    замороженный белый гриб
3 средних шампиньона
3 стебля зеленого лука
1 веточка тимьяна
1,5 ст. л. муки
2 ст. л. любого нерафинированного
    масла по вашему вкусу
соль

6–8 порций
Подготовка: 50 мин.
Приготовление: 15–20 мин.

1. Вырежьте кочерыжку из кочана капусты. Положите кочан в пароварку на 15–20 мин., затем отделите 12–16 верхних листьев и отбейте молотком их утолщенную часть.

2. Перловку промойте горячей водой так, чтобы стекающая вода была абсолютно прозрачной. Залейте большим количеством холодной воды в сотейнике, доведите до кипения и варите на среднем огне 20 мин. Откиньте на сито и обсушите.

3. Очистите овощи. Нарежьте мелкими кубиками репчатый лук, морковь, корень сельдерея, белые грибы и шампиньоны. Смешайте с перловкой и выложите в емкость для пароварки, готовьте 20 мин. Приправьте маслом, солью и перцем.

4. Капустные листья разложите на поверхности стола, в центр каждого поместите по 1–2 ст. л. начинки (в зависимости от размера листа) и сверните конвертом. Уложите в пароварку и готовьте 15–20 мин.

5. Для соуса грибы нарежьте ломтиками, положите в сотейник и слегка обжарьте на среднем огне в масле, 5–7 мин., добавьте муку и 300 мл воды. Варите, помешивая, до загустения, 10 мин.

6. Добавьте мелко нарезанные лук и тимьян, посолите по вкусу. Подавайте немедленно с голубцами.

Кстати
Вы можете использовать в этом блюде любую крупу по вашему вкусу: от привычного риса до булгура, гречки, дикого риса или даже пшеничных зерен. Только зерна нужно почти полностью приготовить заранее. То же самое и с грибами – в сезон подойдут любые лесные грибы.

Паста с курицей и овощами

Нигде курица не получается такой сочной, как в пароварке. И овощи тоже. А если, следуя рецепту, отвар от курицы с овощами добавить в воду при варке пасты, то получается такая вкуснотища! Вид пасты можете использовать любой, по собственному усмотрению. Если любите наматывать на вилку – то спагетти, если хотите чего-нибудь более основательного – то паппарделле. А детям наверняка удобнее фузилли или какая-нибудь мелочь вроде пасты-алфавита.

400 г любой пасты по вашему вкусу
4 небольших куриных бедрышка
   с кожей на кости
1 средняя морковка
1 средний цукини или кабачок
половина маленького кочана
   брокколи
сливочное масло
1 лавровый лист
соль, свежемолотый черный перец
укроп для подачи

4–6 порций
Подготовка: 30 мин.
Приготовление: 10–15 мин.

1. Натрите куриные бедрышки солью и перцем со всех сторон, поместите в пароварку, рядом положите лавровый лист. Готовьте 15 мин.
2. Пока готовится курица, морковь очистите, нарежьте маленькими кубиками. Так же нарежьте цукини. У брокколи удалите стебель (он не понадобится), головку разберите на мелкие соцветия.
3. Растопите 2–3 ст. л. масла. Удалите из пароварки лавровый лист. Добавьте все овощи к курице, сбрызните содержимое пароварки растопленным маслом и готовьте еще 7–10 мин. Овощи должны стать мягкими, но не слишком.
4. Пока готовятся курица и овощи, для пасты вскипятите в большой кастрюле 4 л воды. Когда курица с овощами будет готова, переложите их на подогретую тарелку и накройте фольгой. Жидкость из пароварки влейте в кипящую воду для пасты, добавьте 2 ст. л. соли, положите в бурно кипящую воду пасту и варите согласно инструкции на упаковке.
5. У куриных бедрышек срежьте мясо с кости, оставив или удалив кожу, по желанию. Нарежьте мясо небольшими кусочками, в зависимости от размера пасты (чем крупнее паста, тем крупнее кусочки курицы). Смешайте куриное филе с овощами, сохраняйте теплым.
6. Готовую пасту откиньте на дуршлаг, сразу же разложите по подогретым тарелкам, посыпьте овощами с курицей, сбрызните растопленным маслом и посыпьте измельченным укропом. Подавайте немедленно.

Кстати
Если вам нравится укропно-анисовый запах, в шаге №3, закладывая овощи в пароварку, можете посыпать и овощи, и курицу растолченными семенами фенхеля. Еще один интересный вариант – приправить овощи с пастой уже в тарелке сельдерейной солью.

11. Крупы и тесто

Даже у самых опытных кулинаров иногда случаются на кухне «обломы». То рис в кашу превратится, вместо того чтобы быть рассыпчатым... то вареники развалятся... то булочки подгорят... Пароварка помогает избежать всех этих неприятных моментов – нужно только быть очень аккуратными в отмеривании количества жидкости, а все остальное делается будто бы само собой.

Булгур с баклажанами и вешенками

Блюда из булгура очень популярны в ближневосточной кулинарии. Эта крупа приготовлена из обработанной кипятком, высушенной и калиброванной до нужного размера пшеницы, поэтому времени на приготовление гарнира, плова или салата уйдет совсем немного. В сочетании с овощами еще более заметен легкий ореховый привкус булгура, а в целом блюдо получается и сытным, и легким одновременно, причем может быть подано как горячим, так и холодным.

250 г булгура
200 г вешенок
1 крупный баклажан
1 средний цукини
1 большой помидор
3 пера зеленого лука
1 зубчик чеснока
3 ст. л. оливкового масла «экстра вирджин»
1 ч. л. порошка карри
щепотка молотой корицы
по большой щепотке сушеного тимьяна и орегано
соль, свежемолотый черный перец

4 порции
Подготовка: 20 мин.
Приготовление: 25 мин.

1. У грибов удалите жесткие ножки. Нарежьте баклажан, цукини, помидор и шляпки грибов крупными ломтиками. Чеснок измельчите, зеленый лук порежьте тонкими колечками.
2. Разогрейте в воке или сковороде с толстым дном оливковое масло, положите карри и корицу и прогрейте, 1–2 мин. Добавьте подготовленные овощи и быстро обжарьте, постоянно перемешивая. Приправьте сушеными травами.
3. Поместите овощи в любую цельную емкость, пригодную для пароварки, добавьте булгур, влейте 500 мл кипящей воды, посолите, поперчите, перемешайте и готовьте 25–30 мин.

Кстати

При желании вы можете засыпать кусочки баклажана солью и оставить на 20–30 мин. – это удалит излишнюю горечь. Раньше баклажаны только так и можно было готовить, но современные сорта, как правило, не горчат. Очень вкусен булгур с запеченными овощами. Нарежьте их так же, как в рецепте, выложите в форму для запекания или на противень, сбрызните оливковым маслом и посыпьте специями и травами. Поставьте в разогретую до 180 °C духовку и запекайте до золотистой корочки, примерно 20 мин. Затем смешайте с булгуром и действуйте, как сказано в шаге №3 рецепта.

Кускус с тыквой и сельдереем

Нет на свете пищи более здоровой, чем крупа с овощами. А как получается нарядно! Такой едой вы вполне можете накормить пришедшего из школы ребенка, которому еще бежать на восемь кружков – чтобы ребенок наелся до вечера, но не отяжелел и не захотел прилечь. Ну и сами поешьте, конечно же.

1,5 л овощного бульона
350 г крупного кускуса или булгура
200 г тыквы
4–5 средних стеблей сельдерея
по половине разноцветных сладких
  перцев
2 средние луковицы шалота
2 ст. л. топленого масла
оливковое масло «экстра вирджин»
соль, свежемолотый перец

4–6 порций
Подготовка: 15 мин.
Приготовление: 20–45 мин.

1. Кускус или булгур полейте 150 мл бульона, перемешайте и отставьте на 10 мин. Затем посолите и перетрите крупу пальцами, чтобы отделить крупинки друг от друга, пересыпьте крупу в жаропрочное сито.

2. Оставшийся бульон влейте в кастрюлю и доведите до кипения. Установите сито над кастрюлей с бульоном и плотно накройте. Варите 10 мин., затем снимите сито, сбрызните крупу бульоном и снова отделите крупинки перетиранием (вилкой). Верните сито на кастрюлю с кипящим бульоном и продолжайте готовить, время от времени сбрызгивая бульоном и перетирая. В зависимости от вида крупы она будет готовиться от 20 до 45 мин.

3. Пока варится крупа, очистите овощи и нарежьте равными кусочками. Положите овощи в пароварку и сбрызните топленым маслом. Готовьте на пару до мягкости, примерно 20 мин.

4. Когда кускус или булгур готов, сбрызните его оливковым маслом, поперчите и перемешайте с овощами. Подавайте немедленно.

Кстати
Мелкий или средний кускус не имеет смысла готовить в сите – он слишком маленького размера и, кроме того, предварительно пропарен. Зато таким же образом вы можете сварить любую другую пшеничную крупу – например, «Артек» или армянский дзавар. Только время приготовления каждый раз будет разным, но не забывайте перетирать крупу, чтобы вместо легкого, рассыпчатого блюда у вас не получилась монолитная, слипшаяся масса.

Гречневая каша с овощами и вешенками   Гречка – несомненный фаворит русской кухни. В рационе наших предков гречневая каша всегда считалась первым номером. Может быть, именно благодаря ей в старину было так много богатырей и царь-девиц поляниц. Всем знакомое трехгранное семечко содержит множество полезных веществ и прекрасно сочетается с овощами. И что интересно, гречиха не поддается генному модифицированию.

250 г гречневой крупы
250 мл бутилированной воды
1 небольшой стебель лука-порея
  (только белая часть)
200 г вешенок
100 г стручков зеленой фасоли
6–8 помидоров черри
2 зубчика чеснока
3 ст. л. подсолнечного масла
несколько веточек петрушки
  и укропа
соль, свежемолотый черный перец

4–6 порций
Подготовка: 1 ч 10 мин.
Приготовление: 20–25 мин.

1. Замочите гречку в холодной воде на 1 ч. Нарежьте белую часть лука-порея толстыми кольцами, тщательно промойте от песка. У вешенок удалите жесткие ножки, шляпки разрежьте на 2–4 части, помидоры – на половинки, чеснок измельчите. У фасоли обломите кончики, удалите жесткую струнку.
2. Разогрейте в глубокой сковороде масло и потушите лук на среднем огне до мягкости, 5–7 мин. Добавьте грибы и фасоль и готовьте еще 5–7 мин.
3. Положите в сковороду помидоры и чеснок и готовьте 2 мин. Слегка посолите и приправьте перцем.
4. Гречку откиньте на сито, поместите в любую цельную емкость, пригодную для пароварки, добавьте овощи, влейте кипящую бутилированную воду, посолите и готовьте 20–25 мин. Перед подачей посыпьте измельченными травами.

Кстати
Купите для этого блюда самую качественную гречку-ядрицу. Если вы не уверены в ее чистоте, обязательно переберите ее и промойте в нескольких водах.

Ризотто с зеленым горошком

Ризотто с зеленым горошком Готовьте ризотто смело – это блюдо для творчества, импровизация приветствуется! Только одно «но» – сначала нужно освоить некоторые общие принципы. Во-первых, рис. Он должен иметь короткие и круглые зерна – отлично подойдет сорт арборио или виалоне нано. Во-вторых, необходимо добиться кремовой структуры блюда, при этом не превратив ризотто в кашу. Итальянцы говорят, что каждая рисинка должна оставаться в серединке al dente – «на зубок», то есть чуть-чуть хрустящей. Когда едите ризотто, помните о сложившейся традиции – начинайте есть от края и двигайтесь к центру тарелки: в слишком горячем рисе вы не почувствуете в полной мере все ароматы. Подавайте ризотто с тем же белым вином, с которым будете его готовить.

2 стакана риса для ризотто
1–1,3 л овощного бульона
1/2 стакана белого сухого вина
1 большая белая луковица
150 г свежего или замороженного
   зеленого горошка
3 ст. л. оливкового масла «экстра
   вирджин»
несколько веточек зеленого
   базилика
соль, свежемолотый черный перец
стручки зеленого горошка и тертый
   пармезан для подачи

6 порций
Подготовка: 20 мин.
Приготовление: 40–50 мин.

1. Отделите у базилика листья от стеблей. Листья отложите, а стебли мелко порубите. Так же мелко нарежьте лук. Влейте в любую цельную емкость, пригодную для пароварки, масло, положите лук и стебли базилика, перемешайте и готовьте в пароварке 10 мин., периодически помешивая.

2. Всыпьте рис, тщательно перемешайте, влейте вино и готовьте 5 мин. Тем временем доведите бульон до кипения и держите на минимальном огне в течение всего процесса приготовления ризотто.

3. Влейте в пароварку 1 большой половник бульона, все тщательно перемешайте и готовьте 5–7 мин. За это время жидкость должна почти полностью впитаться в рис. Влейте еще 1 половник бульона, тщательно перемешайте и готовьте еще 5–7 мин.

4. Продолжайте прибавлять в рис по 1 половнику бульона и готовить, пока рис не достигнет состояния «аль денте», а само ризотто не приобретет кремовую структуру.

5. Пока ризотто готовится, тонко нарежьте листья базилика. Примерно за 5 мин. до готовности ризотто добавьте зеленый горошек, соль и перец по вкусу.

6. В готовое ризотто влейте еще 1/2 половника бульона, накройте фольгой и отставьте на 5 мин. Тем временем положите в пароварку стручки зеленого горошка – целые или нарезанные на 3–4 части – и готовьте 5 мин.

7. Для подачи разложите ризотто по подогретым тарелкам, посыпьте пармезаном и поместите сверху стручки зеленого горошка и листочки базилика. Подавайте немедленно с оливковым маслом, которым каждый сам сбрызнет ризотто в своей тарелке.

Кстати
В разных областях Италии по-разному готовят ризотто, и самый принципиальный вопрос касается масла. Кое-где овощи любят обжаривать на сливочном масле, а потом добавлять кусочек в конце. Там утверждают, что именно сливочное масло делает ризотто по-настоящему нежным. Поклонники оливкового масла настаивают на использовании только его. Они говорят, что со сливочным маслом приличное ризотто может сделать любой неумеха, а вот добиться сливочности и кремовости при помощи масла растительного – настоящее искусство. Оставляем вам право выбора. Если ризотто по этому рецепту покажется вам недостаточно кремовым, думаем, вас никто не осудит за добавленный кусочек сливочного масла. В конце концов мы готовим, чтобы нашим домочадцам было вкусно!

Рис с грибами и брокколи Почему-то рис и грибы – не самое очевидное сочетание для русского человека. Гораздо чаще встречаются грибы с картошкой. Или с гречкой. Но это блюдо заставит вас отринуть все сомнения. Оно получается очень сытным – кроме этого риса на обед или на ужин можно ничего больше не готовить. Заменив топленое масло на растительное, а сыр – на ореховую (миндальную или кедровую) крошку, вы легко превратите это блюдо в постное.

**Начинайте готовить за 3 ч
до подачи**

1,5 стакана длиннозерного или
   среднезерного риса
3 стакана грибного или овощного
   бульона
1/2 стакана белого сухого вина
50 г сыра грюйер
маленький кочанчик брокколи
большая горсть лисичек
1 большая луковица шалота
2 зубчика чеснока
3 ст. л. топленого масла
соль, свежемолотый черный перец
свежий или сушеный тимьян

4–6 порций
Подготовка: 2 ч 10 мин.
Приготовление: 30 мин.

1. Замочите рис в холодной воде на 2 ч. Почистите лисички, если они в земле: промойте под проточной водой и обсушите. Крупные грибы нарежьте, мелкие оставьте как есть.
2. Тонкими колечками нарежьте лук и измельчите чеснок. В любой цельной емкости, пригодной для пароварки, разогрейте масло. Положите лук, перемешайте и готовьте на пару 10 мин.
3. Откиньте рис на сито. Добавьте в емкость с луком рис, вино и чеснок, тщательно перемешайте, готовьте 5 мин. Тем временем доведите бульон до кипения. Влейте бульон в рис, готовьте 15 мин.
4. Удалите у тимьяна стебли. Добавьте лисички и листочки тимьяна к рису, посолите и поперчите. Перемешайте, варите на пару до готовности риса, еще примерно 15 мин.
5. Пока рис готовится, удалите у брокколи стебель (он не понадобится). Головку разберите на маленькие соцветия. За 5–7 мин. до готовности риса добавьте брокколи в пароварку. Не перемешивайте.
6. Разложите рис по подогретым тарелкам, посыпьте тертым сыром. Подавайте немедленно.

Кстати
Если для лисичек не сезон, возьмите любые другие свежие грибы: белые, шампиньоны, шиитаке, вешенки, сморчки… Замороженные лисички мы никогда не покупаем – они так часто начинают существенно горчить после размораживания, что не хочется бросать деньги на ветер.

Клецки с петрушкой и чесночным маслом

Клецки обычно воспринимаются исключительно как гарнир. Эти – с петрушкой и чесночным маслом – тоже можно подать к мясу. Но и сами по себе они прекрасны! Совершенно самостоятельное блюдо. Ну разве что легкий салат к ним нарезать... Вот вам и отличный обед и для детей, и для взрослых.

средний пучок петрушки
1 стакан муки
1 ст. л. с горкой манки
1/2 стакана нежирных сливок
2 ст. л. сливочного масла
1,5 ч. л. разрыхлителя
морская соль
масло для смазывания

Для масла:
4 ст. л. топленого масла
2 зубчика чеснока
1/4 ч. л. хлопьев чили
морская соль

2–4 порции
Подготовка: 20 мин.
Приготовление: 15 мин.

1. Просейте муку с разрыхлителем в миску, добавьте соль. Нарежьте холодное масло маленькими кусочками. Смешайте масло с мучной смесью и разотрите кончиками пальцев так, чтобы получились крошки.
2. Очень мелко порубите петрушку, добавьте в тесто. Постепенно влейте очень холодные сливки – должно получиться мягкое тесто.
3. Смажьте решетку пароварки маслом. Влажными руками или двумя чайными ложками формируйте из теста небольшие клецки размером примерно с грецкий орех и выкладывайте их на решетку на некотором расстоянии друг от друга (во время приготовления клецки увеличатся в объеме). Готовьте клецки в пароварке примерно 10 мин.
4. Пока клецки варятся, приготовьте масло. Раздавите и порубите чеснок. Положите его в небольшую сковородку, добавьте топленое масло, поставьте на небольшой огонь. Растопите масло и готовьте примерно 1 мин. Приправьте острым перцем и солью по вкусу, готовьте еще 20 сек., снимите с огня. Подавайте клецки очень горячими, полив чесночным маслом.

Кстати

Хотя рецепт совсем несложный, испортить блюдо все же можно – выбрав не то масло. Никогда не покупайте топленое масло с какими бы то ни было добавками, лучше сделайте его дома сами – это просто. Залейте нарезанное кусочками масло большим количеством кипящей воды, размешайте до растворения и поставьте в холодильник. Когда масло застынет корочкой, пробейте ее и слейте белую мутную жидкость. Снова залейте кипятком... Повторяйте так до тех пор, пока стекающая жидкость не станет абсолютно прозрачной. Оставшаяся желтая корочка и есть искомый продукт.

Кнедлики из белого хлеба Чисто фонетически слово «кнедлик» – вкусное, уютное и немного даже юморное. Оно как бы завершает ассоциативный ряд: Швейк, сливовица, Крушовице. С гастрономической точки зрения с кнедликами тоже все в порядке. Придуманные в Австрии, улучшенные в Венгрии и доведенные до совершенства в Чехии, кнедлики нельзя назвать блюдом утонченным, скорее они довольно тяжелы. Зато они могут быть какими угодно: сладкими – с ягодами, сахаром, творогом, несладкие – с печеночным паштетом, с мангольдом и кедровыми орешками, с копченым шпигом, с ветчиной и шпинатом, с грибами... Размеры кнедликов также не оговорены ГОСТами – можно сделать их не больше грецкого ореха, а можно в виде целого батона, а затем нарезать на ломтики. Главное, чтобы они не переварились, были поданы горячими и с достойным сопровождением. Отломите кусочек кнедлика, обмакните в мясной соус и сделайте глоток пива – вам понравится.

1 багет весом примерно 300 г
300 мл молока
1 средняя луковица шалота
50 г сливочного масла
2 яйца
4 средних шампиньона
2 ломтика бекона
несколько веточек петрушки
    и тархуна
соль, свежемолотый черный перец
мясной соус (см. стр. 218), сметана
    или сливочное масло для подачи

4 порции
Подготовка: 20 мин.
Приготовление: 20 мин.

1. Нарежьте багет кубиками со стороной 1 см и залейте молоком. Оставьте на 10 мин.
2. Мелко нарежьте лук, бекон и грибы. Разогрейте в сковороде на среднем огне сливочное масло и обжарьте лук и грибы до мягкости, 7–10 мин.
3. Бекон зажарьте до хруста на сухой сковородке, выложите на бумажные полотенца. Мелко нарежьте пряные травы.
4. Соедините в большой миске замоченный хлеб, яйца, лук, грибы и бекон, добавьте травы, посолите, приправьте перцем по вкусу и перемешайте.
5. Влажными руками сформируйте шарики размером с мячик для настольного тенниса и поместите их в пароварку. Готовьте 20 мин. Подавайте с мясным соусом, сметаной или сливочным маслом.

Кстати
В зависимости от разных сортов хлеба, который вы используете, будет сильно меняться и вкус кнедликов. Из белого багета они получаются нейтральными. Если вы возьмете грубый деревенский хлеб – изменится текстура, она станет более плотной. Вы можете добавить немного ржаного хлеба или бородинского – кнедлики будут гораздо ароматнее.

Вареники с вишней   На Полтавщине говорят, что настоящие вареники должны быть похожи на пуховую подушечку – нежные, мягкие и пузатенькие. Каждому школьнику известно, что начинка должна оставаться на своем месте – внутри вареника, а тесто не должно прилипать к зубам. В то же время их легко переварить, тем самым безнадежно испортив блюдо и настроение. Понятно, что бойкая черноокая хохлушка в цветной паневе и белоснежной сорочке в два счета сварит образцовые вареники хоть в горшке, а вот нам придется схитрить. Мы приготовим вареники в пароварке, и все получится не хуже, чем на хуторе где-нибудь близ Диканьки.

300 г свежей вишни или
  замороженной без косточек
100 г сахара
2 ст. л. картофельного или
  кукурузного крахмала
100 г густой сметаны
сливочное масло для смазывания

Для теста:
400 г муки
1 яйцо
щепотка соли

6 порций
Подготовка: 1 ч
Приготовление: 20–25 мин.

1. Из свежей вишни удалите косточки и засыпьте ягоды сахаром. Замороженную вишню засыпьте сахаром сразу, не размораживая. Оставьте вишню с сахаром при комнатной температуре на 20–40 мин. Слейте образовавшийся сок в отдельную посуду. Добавьте к ягодам крахмал и перемешайте.
2. Для теста просейте муку, влейте 150 мл теплой воды и слегка взбитые яйца. Добавьте соль и замесите эластичное тесто. Заверните тесто в пленку и оставьте на 20 мин.
3. Расстоявшееся тесто раскатайте в тонкий пласт и вырежьте формочкой кружки диаметром 5–6 см.
4. На середину каждого кружка положите вишневую начинку и плотно защипните края. При желании можете закрепить край косичкой, делая мелкие закрученные защипы внахлест.
5. Уложите вареники в смазанную маслом пароварку и готовьте при интенсивном кипении 20–25 мин.
6. Вишневый сок перемешайте со сметаной и полейте им готовые вареники.

3   **4**

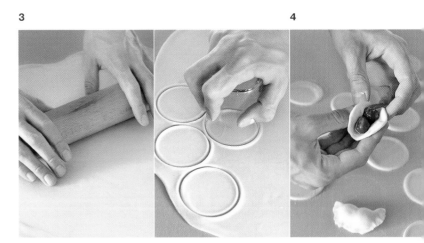

Кстати
Если у вас нет специального устройства для вынимания косточек из вишни, воспользуйтесь самой обычной женской шпилькой или развернутой крепкой канцелярской скрепкой. Просто втыкайте в вишневую мякоть закругленный конец шпильки (скрепки), подцепляйте ягоду и вытаскивайте косточку. Чтобы пальцы – и особенно ногти – меньше красились вишневым соком, вотрите в кожу немного нейтрального растительного масла без запаха.

Китайские паровые булочки   Куда бы вы ни поехали в Китае, повсюду увидите людей с такими булочками. Сладковатое тесто и пикантная солоноватая начинка – такое типичное сочетание для азитской кухни!

300 г муки
1 ст. л. сахара
1 ст. л. свиного жира или сливочного масла
1/2 ч. л. сухих дрожжей
1/2 ч. л. разрыхлителя
щепотка соли
150 мл бутилированной воды
растительное масло для смазывания

Для начинки:
маленький пучок зеленого лука
1 небольшой острый красный перец чили
соль

10 штук
Подготовка: 1 ч 30 мин.
Приготовление: 20 мин.

1. Для теста бутилированную воду сильно охладите. Муку просейте с разрыхлителем и солью. Смешайте все ингредиенты в миске и, подливая воду, руками замесите тесто. Оно должно быть очень плотным.

2. На рабочей поверхности раскатайте тесто в длинный тонкий прямоугольник. Сложите его пополам и раскатайте еще раз. Повторите 10–15 раз, давая тесту полежать между «раскатками» буквально 30 сек. К концу процесса оно должно стать гладким и эластичным.

3. Положите тесто, слегка смазав его маслом, в миску, накройте и оставьте при комнатной температуре на 15 мин.

4. Для начинки измельчите чили и зеленый лук. Раскатайте тесто в тонкий квадрат со стороной 25 см. Смажьте растительным маслом, посыпьте начинкой, приправьте солью, сложите пополам.

5. Разрежьте получившийся прямоугольник на 10 полос шириной 2,5 см. Растяните каждую полоску и, держа за завернутый конец, скрутите 2 части полоски как веревку.

6. Свяжите получившуюся «веревку» двойным узлом, концы подоткните вниз. Смажьте растительным маслом кусок пергамента, уложите на него булочки, накройте пленкой и оставьте в теплом месте на 30–40 мин.

7. Поместите булочки на смазанную растительным маслом решетку пароварки и готовьте 20 мин. Подавайте очень горячими.

Кстати
Ни в коем случае не добавляйте воды больше, чем сказано в рецепте теста, – иначе после пароварки булочки станут плоскими.

Родина риса – Азия, где и поныне производят 90% мирового урожая, хотя он растет теперь в любой стране с влажным субтропическим климатом. В отличие от прочих зерновых практически всем сортам риса требуются земли, залитые водой. Поскольку таких земель хватает, для половины населения земного шара рис стал основой питания. Это прекрасный источник углеводов, но белка в нем не так много, как в других зернах (около 6%). На свете существует более 7 тысяч сортов риса. И классифицировать их можно по-разному. Например, по способу обработки. Большая часть риса, поступающего на наши прилавки, – это белый рис, очищенный от оболочки и отшлифованный. В таком рисе мало полезных веществ, зато он красиво выглядит и прекрасно хранится. В необработанном рисе (например, бурый или черный клейкий рис) сохраняются отруби – оболочка, защищающая зерно, в которой содержатся витамины, в частности, много витаминов группы В. Он значительно полезнее, но варится долго и плохо хранится – лучше всего держать неочищенный рис в холодильнике.

Клейкий тайский рис   Таким образом рис варят в Таиланде. Его едят как сопровождение к любой трапезе, вместе с любыми блюдами – от яиц и мяса до супов и овощей. Кроме того, из сваренного на пару клейкого риса готовят вкуснейшие десерты.

Начинайте готовить за 9 ч до подачи

1,5 стакана клейкого короткозерного риса
морская соль

4 порции
Подготовка: 8 ч
Приготовление: 40 мин.

1. Залейте рис большим количеством подсоленной холодной воды, оставьте на 8 ч.
2. Откиньте замоченный рис на сито, стряхните лишнюю воду.
3. Уложите в пароварку мокрую полотняную салфетку, всыпьте рис и распределите его ровным слоем.
4. Варите рис до мягкости, примерно 40 мин.

Кстати
Очень важно найти правильный сорт риса. Клейкий рис может быть как белым, так и черным. Черный, правда, варится несколько дольше.

Рисовый пудинг с кокосом и ананасом   Это блюдо больше всего напоминает джаз.
Если разобрать его по составу, то рис в нем задает ритм, ананас звучит энергичным соло, кокос –
воплощение лиризма и мелодичности, а корица и сахар гармонизируют эти пересечения тональностей
и придают им неожиданные акценты и особый драйв. А в целом это блюдо для тех, кто ценит радостные,
жизнеутверждающие мотивы.

**Начинайте готовить за 3 ч
до подачи**

250 г среднезерного риса
400 г консервированных ананасов
  дольками
400 г кокосового молока
половина свежего кокоса
3 ст. л. коричневого сахара
1 палочка корицы
щепотка соли
мята для украшения

6 порций
Подготовка: 2 ч 20 мин.
Приготовление: 30 мин.

1. Замочите рис на 2 ч в холодной воде, затем откиньте на сито. Поместите рис в любую цельную емкость, пригодную для пароварки, добавьте щепотку соли, влейте 200 мл кипящей воды и готовьте 20 мин.
2. Кокос очистите от коричневой кожицы и натрите на мелкой терке. Половину ананасов измельчите, оставшиеся дольки отложите для украшения.
3. Добавьте в рис кокосовое молоко и натертый кокос, ананасы вместе с жидкостью, сахар и корицу. Переложите в форму для пудинга, поставьте в пароварку и готовьте 30 мин.
4. Из готового пудинга аккуратно удалите корицу, переверните пудинг на блюдо, украсьте ломтиками ананаса, уложив их внахлест, и листочками мяты. Подавайте горячим, теплым или полностью остывшим.

Кстати
В принципе, вы можете взять и готовую кокосовую стружку – только смотрите, чтобы она была очень свежа. «Пожилую» кокосовую стружку можно освежить в теплом кокосовом молоке, обычном молоке или даже в кокосовом роме «Малибу».

Бостонский темный хлеб   Этот один из самых популярных в США домашних сортов хлеба имеет оригинальный вкус – одновременно сладкий и несладкий. Американские повара говорят, что для его выпечки даже необязательно иметь специальные формы, и часто используют высокие цилиндрические банки из-под кофе объемом 12 унций (350 мл). Бостонский хлеб – бездрожжевой, поэтому тесто для него замешивается быстро и не требует дополнительного времени для расстойки. Сочетание нескольких видов муки и приготовление на пару придают хлебу необыкновенно легкую структуру.

**Начинайте готовить за 3 ч
до подачи**

180 г кукурузной муки
180 г пшеничной муки
180 г ржаной муки
200 мл молока
4 ст. л. жидкого меда
100 г изюма
3/4 ч. л. соды
1 ч. л. соли
сливочное масло для смазывания

6 порций
Подготовка: 20 мин.
Приготовление: 1 ч 45 мин. – 2 ч

1. Смажьте формы для выпечки сливочным маслом. В миске смешайте всю просеянную с содой муку, добавьте изюм и мед, влейте чуть теплое молоко и замесите тесто. Вымешивайте до эластичности и гладкости, примерно 10 мин. Разложите тесто по формам, заполняя их не более чем на треть.
2. Вырежьте из пергамента квадраты подходящего размера, смажьте маслом и накройте формы. Обвяжите шпагатом или резинкой.
3. Подготовленные формы с тестом поставьте в пароварку и готовьте 1,5 ч, при необходимости подливая воду.
4. Проверьте готовность хлеба деревянной зубочисткой – если тесто к ней не прилипает, то хлеб готов. Если на зубочистке остались крошки, то вновь накройте формы бумагой и готовьте еще 10–15 мин.
5. Формы выньте из пароварки (осторожно, можно обжечься паром!), снимите пергамент и оставьте на решетке 15 мин., после чего можно вынимать готовый хлеб и подавать.

Кстати
К этому хлебу для полноценной трапезы вполне достаточно хорошего сливочного масла или самого простого зеленого салата, заправленного каким-нибудь ореховым маслом и посыпанного соответствующими орешками.

Десерты

Бытует мнение, что десерт – самая неполезная еда из всех, что придумало человечество. Ну что ж, если это жаренные во фритюре пончики, мы согласимся... хотя все равно можно поспорить. Но уж сладкое, приготовленное на пару, – одна сплошная польза. Сахара немного, муки частенько нет вовсе, а метод приготовления столь щадящий, что такой десерт годится даже сидящим на строгой диете язвенникам!

Медовые груши

Если вы любите мед, то будете в восторге от этого простого и эффектного десерта. При желании украсить его можно любыми цветами, но лучше все же выбирать съедобные: маленькие розочки, бархатцы, хризантемы... Такие груши можно подавать и горячими, и полностью остывшими – так они даже вкуснее.

**4 средние груши конференс
    или батлер**
четвертинка лимона
6 ст. л. меда
1 стакан десертного вина
4 палочки корицы
щепотка нитей шафрана
**свежие или засахаренные фиалки
    для подачи**

4–8 порций
Подготовка: 2 ч
Приготовление: 20 мин.

1. Очистите груши от кожуры, не удаляя хвостики. Разрежьте груши вдоль пополам (попробуйте и хвостик тоже разрезать пополам: если он толстенький, воспользуйтесь маникюрными ножницами – у вас должно получиться).
2. Удалите у груш сердцевину и натрите их лимоном, чтобы поверхность не темнела.
3. Слегка нагрейте вино, положите шафран и мед, перемешайте до однородности.
4. Уложите груши срезом вниз в любую цельную емкость, пригодную для пароварки. Полейте получившейся жидкостью, добавьте палочки корицы, накройте и оставьте на 2 ч.
5. Варите груши в пароварке при слабом кипении до мягкости, примерно 20 мин. За это время дважды переверните. Груши не должны разваливаться!
6. Подайте груши, полив их сиропом, в котором они готовились, и украсив фиалками.

Кстати
Чем ароматнее вино, в котором вы готовите груши, тем вкуснее они получатся. Возьмите венгерский мускат или какое-нибудь из крымских массандровских вин: мадеру или портвейн.

Персики, начиненные финиками Если вы стремитесь блюсти фигуру, но без сладкого жить не можете, этот десерт для вас. По крайней мере в калорийности фиников и орехов заключена существенная польза. Витаминов и минералов там не сосчитать, и при тепловой обработке они сохраняются! Кроме того, лакомясь фаршированными персиками, легко почувствовать себя каким-нибудь падишахом или царицей египетской...

4 крупных спелых персика или нектарина
100 г вяленых мягких фиников
горсть очень свежих очищенных грецких орехов
1/2 ч. л. молотой корицы
1 большой апельсин
2–3 ст. л. крепкого зеленого чая
сахарная пудра и мята для подачи

4–8 порций
Подготовка: 25 мин.
Приготовление: 35 мин.

1. Выложите орехи на противень и поставьте под разогретый гриль на 5 мин. За это время один раз перемешайте. Затем насыпьте горячие орехи в кухонное полотенце, заверните и энергично потрите друг о друга, чтобы удалить часть тонкой кожицы.
2. Измельчите орехи или растолките в ступке. Удалите из фиников косточки, мякоть мелко порубите тесаком или тяжелым ножом. Смешайте финики с орехами.
3. Вымойте апельсин щеткой, снимите мелкой теркой цедру, выжмите из апельсина сок. Смешайте измельченную финиковую начинку с апельсиновой цедрой, соком, чаем и молотой корицей, вымесите до однородности.
4. Персики или нектарины разрежьте пополам, удалите косточки. Надсеките внутреннюю часть половинок персиков крест-накрест.
5. Разложите по персикам начинку и уложите их в пароварку. Готовьте 20 мин. Поместите половинки персиков на тарелки, остудите, 15 мин., украсьте мятой, посыпьте сахарной пудрой и немедленно подавайте.

Кстати
Экспериментируйте с фруктами, фаршированными сухофруктами сколько угодно. Фаршировать можно яблоки, груши и крупные сливы, а в качестве начинки подойдут как популярные курага, изюм и чернослив, так и более редкие ананасы, кизил, вишня, груши и персики. Главное, чтобы начинка из сухофруктов была влажной – твердые сухофрукты (в том числе и финики) предварительно замочите на несколько часов в холодной воде.

Шоколадный пудинг с миндалем и фисташками

Шоколадный пудинг с миндалем и фисташками   Небольшой кусочек шоколадного пудинга вызовет у вас легкое чувство эйфории, и не только потому что шоколад – признанный лидер среди продуктов, отвечающих за счастье, то есть способствующих выработке в организме гормона серотонина. Скорее всего это произойдет потому, что шоколадный пудинг очень вкусен. Итак, всем шокоголикам посвящается...

5 яиц
100 г темного шоколада
50 г молочного шоколада
60 г сливочного масла плюс еще
   немного для смазывания формы
4 ст. л. сахара
100 г муки
50 г молотого миндаля
50 г несоленых фисташек
морская соль

6 порций
Подготовка: 35 мин.
Приготовление: 30 мин.

1. Отделите желтки яиц от белков. Нарежьте масло небольшими кусочками. Наломайте шоколад такими же небольшими кусочками и растопите на водяной бане вместе со сливочным маслом. Перемешайте муку с молотым миндалем.
2. Разотрите желтки с сахаром добела, добавьте шоколад, перемешайте. Всыпьте просеянную муку и тщательно перемешайте миксером или венчиком.
3. Взбейте белки с щепоткой соли в крепкую пену и подмешайте к шоколадной массе.
4. Смажьте маслом 6 жаропрочных форм для суфле и распределите по ним тесто. Плотно накройте фольгой и поместите в пароварку на 30 мин.
5. Снимите фольгу и посыпьте готовые пудинги измельченными ядрами фисташек. Подавайте горячими, теплыми или полностью остывшими.

Кстати
Чем более горький шоколад вы берете для этого рецепта, тем более насыщенным получается блюдо. Нам больше всего нравится использовать швейцарский шоколад с содержанием какао 85% и отечественный молочный шоколад высокого качества (обычно содержание какао там примерно 32%). Нам такое сочетание кажется идеальным.

Десерт из риса с персиками и грушами   Пожалуй, этот десерт уместен после достаточно легкого ужина. Хотя мог бы стать и хорошим воскресным завтраком. Его по достоинству оценят уставшие после занятий студенты и школьники, моментально восстановив силы доброй порцией фруктового риса. Не смущайтесь, если вам не попадется мелисса. Мята – тоже замечательное растение.

Начинайте готовить за 5 ч до подачи

200 г среднезерного риса
100 мл свежевыжатого
  апельсинового сока
250 мл молока жирностью более 3%
150 мл сливок для взбивания
1 крупный спелый персик или
  нектарин
1 крупная сладкая, но не мягкая
  груша
5 ст. л. коричневого сахара
1 ст. л. сахарной пудры
щепотка соли
листочки лимонной мелиссы
  для подачи

4 порции
Подготовка: 3 ч
Приготовление: 2 ч

1. Замочите рис в большом количестве холодной воды на 2 ч. Затем откиньте его на сито и переложите в любую цельную емкость, пригодную для пароварки. Доведите молоко до кипения. Добавьте в рис 2 ст. л. сахара и соль, влейте молоко и апельсиновый сок. Перемешайте и готовьте на пару 30 мин. Остудите, 20 мин.

2. Очистите персик и грушу от кожуры. Половину нарежьте средними кубиками, вторую половину – мелкими. Смешайте мелкие кубики фруктов и рис, выложите в формочки, креманки или стаканы, накройте пленкой или фольгой и уберите в холодильник на 2 ч.

3. Растопите в сухой сковородке оставшийся сахар, снимите с огня. Аккуратно влейте 2 ст. л. сливок и перемешайте. Выложите в сковородку оставшиеся ломтики фруктов и потушите, по 1 мин. с каждой стороны.

4. Взбейте оставшиеся сливки с сахарной пудрой в стойкую пену. В формочки с рисом положите карамелизованные фрукты и взбитые сливки, украсьте листочками мелиссы.

Кстати
Поздним летом и ранней осенью, когда фрукты как раз поспели и жалко убивать в них витамины, можете не обжаривать ломтики персиков и груш – просто выложите их на рис и полейте горячим сахарным сиропом или растопленным медом.

Апельсины теперь выращивают в Италии, Испании, Израиле, Алжире, Тунисе, Марокко и США, а также, разумеется, на их родине в Азии. На свете существует не меньше 300 сортов апельсинов, которые используются в самых разных целях. Общее правило таково: чем апельсин больше, тем толще у него корка, тем меньше в нем сока – и наоборот. Чем он более плоский, тем более терпкий и кислый. Лучшие апельсины – небольшого размера, но тяжелые, с тонкой кожурой. Один из самых распространенных в мире сортов – навел (Вашингтон, Навелина, Томпсон) из США и с Кубы – имеет у верхушки так называемый «пупок»: недоразвитый апельсин-дитя. У навелов нет косточек, и их едят просто так. У сортов валенсия и салустиана (Испания) и джаффа (США) косточки есть, зато очень тонкие перепонки между дольками. Это крупные (около 500 г) плоды, очень сочные и сладкие, из них обычно делают сок, так же как из их меньшего по размерам собрата из Израиля и Палестины – сорта шамоти.

Апельсиновый флан   Мало того, что мы его приготовили и подали в чудесной кофейной чашечке, так еще и на дне обнаруживается сюрприз – нежнейший карамельный сироп! А что поделаешь? Флан – изобретение французской кухни, а она отличается роскошью и изысканностью, что особенно легко продемонстрировать при изготовлении десертов.

300 мл молока
3 крупных яйца
3 желтка
4 ст. л. сахара
70 мл свежевыжатого апельсинового
  сока
1 ч. л. тертой апельсиновой цедры

Для карамели:
6 ст. л. сахара
4 ст. л. апельсинового ликера

6 порций
Подготовка: 30 мин.
Приготовление:
  1 ч 20 мин. – 1 ч 25 мин.

1. Для карамели всыпьте сахар в небольшой сотейник с толстым дном и растопите, непрерывно помешивая. Перестаньте мешать и на небольшом огне готовьте до золотистого цвета. Снимите с огня, очень осторожно (смесь будет брызгаться!) влейте ликер и перемешайте. Разлейте карамельную массу в 6 кофейных чашек и охладите.
2. Взбейте яйца и желтки с сахаром до однородности, добавьте молоко, апельсиновый сок и цедру и перемешайте. Разлейте смесь по чашкам.
3. Плотно закройте чашки фольгой и поместите в пароварку. Готовьте при интенсивном нагреве 20–25 мин., затем выньте, остудите, 30 мин., и поставьте в холодильник примерно на 30 мин.

Кстати
Украсить апельсиновый флан можно апельсиновыми чипсами. Сделать их несложно. Нарежьте небольшой апельсин с тонкой коркой (сорт, который обычно продают для сока) очень тонкими кружками. Выложите кружки на выстланный пергаментом противень и посыпьте не очень густо сахарной пудрой. Оставьте в таком виде в теплом месте сохнуть на несколько дней или поместите в очень слабо разогретую духовку (70–90 °C) на 10–12 ч.

Творожное суфле Многим из нас приходилось с боем преодолевать нежелание любимого чада есть творог, и все ухищрения с запеканками или сырниками не раз терпели фиаско. Выход из этой тупиковой, на первый взгляд, ситуации есть. Приготовьте творожное суфле. И пусть этот (эта) капризуля не надеется съесть его один – суфле понравится всем. Особенно с вишневым соусом...

300 г творога
4 яйца
20–30 г любого изюма по вашему
　вкусу
2 ст. л. рома или крепкого чая,
　по желанию
4 ст. л. коричневого сахара
сливочное масло и сахар для формы
щепотка соли
вишневый соус для подачи
　(см. стр. 224)

8 порций
Подготовка: 40 мин.
Приготовление: 25 мин.

1. Вымойте и обсушите изюм, залейте его ромом или крепким чаем и оставьте на 30 мин. Творог протрите через сито.

2. Отделите белки от желтков. Разотрите творог с желтками и добавьте изюм вместе с жидкостью.

3. Взбейте белки с солью в пышную пену. Продолжая взбивать, тонкой струйкой постепенно всыпьте сахар и взбейте все вместе в стойкую пену. Аккуратно, порциями, перемешивая лопаткой снизу вверх, введите белки в творожную смесь.

4. Смажьте сливочным маслом форму для суфле и присыпьте сахаром. Переложите в форму получившуюся массу. Накройте плотно фольгой и поместите в пароварку. Готовьте 25–30 мин. Подавайте суфле горячим или теплым с вишневым соусом.

Кстати
Часто родители не хотят, чтобы в детской еде была хоть капля алкоголя. В принципе, они правы – алкоголь детям совершенно ни к чему. Но в таком количестве и при столь долгой тепловой обработке от градусов практически ничего не останется. А вот великолепный аромат, который придется по вкусу большинству едоков любого возраста, сохранится. Но если вы все же против – замените ром крепким черным чаем, можно ароматизированным (возьмите, например, эрл грей).

Кокосовые кексы в индонезийском стиле   Несмотря на название, вызывающее у нас ассоциации с десертом, это скорее хлеб, чем сладость. Кексы очень нежные, слегка упругие и невероятно вкусные. Такие вполне можно подать как аккомпанемент к какому-нибудь карри (например, из рыбы, см. стр. 112). Но и с джемом и сливочным маслом, а также со свежими фруктами они тоже будут весьма хороши.

1/3 стакана кокосового молока
1/3 среднего кокосового ореха
2 больших яйца
1/2 стакана коричневого сахара
1/2 стакана муки
1/2 ч. л. разрыхлителя
щепотка морской соли
жир для смазывания
свежие фрукты для подачи

4–6 порций
Подготовка: 20 мин.
Приготовление: 35–40 мин.

1. Смажьте жиром 12–16 формочек для кексов или маффинов. Кокос очистите от коричневой кожицы, натрите мякоть на терке.
2. Взбейте яйца с сахаром в пенистую массу. Не переставая взбивать, порциями, поочередно добавьте в яичную массу кокосовое молоко и просеянную с разрыхлителем и солью муку.
3. В смазанные жиром формочки на дне разложите тертый кокос, слегка прижимая его пальцами.
4. Очень аккуратно влейте в каждую формочку тесто почти доверху. Поставьте формочки в пароварку, готовьте, пока воткнутая в центр кекса зубочистка не будет выходить сухой, 30–35 мин.
5. Дайте готовым кексам постоять в выключенной пароварке 5 мин. Затем берите формочку в руки, кончиком ножа проводите по стенкам, поддевая края, и переворачивайте кекс на блюдо. Подавайте теплыми или остывшими.

Кстати
Не используйте готовую кокосовую стружку для этого блюда – в ней нет никакого аромата и она слишком сухая. Стружка так и останется лежать на дне формочек. Если свежего кокоса нет, замочите стружку на пару часов в теплом кокосовом или обычном молоке.

Английский пудинг В Великобритании этот пудинг традиционно подают на Рождество, причем уже несколько столетий. Приготовления начинаются задолго до праздника, чтобы готовый пудинг, надежно припрятанный в холодной кладовой, успел настояться и в полной мере продемонстрировать сложный букет вкусов. Да и сам процесс приготовления никогда не был особо простым. Один из диккенсовских персонажей, например, месил тесто для пудинга в течение часа! Наверное, и нам стоит перенять чуточку британской педантичности и делать все так, как положено. И почаще проверять состояние пароварки – ведь за 5 часов много воды утечет. Вернее, испарится... Подавайте пудинг горячим или теплым со сладкими соусами (см. стр. 224).

Начинайте готовить за 1 месяц до подачи

110 г муки
110 г белых сухарей
5 крупных яиц
200 г темного коричневого сахара
200 г нутряного говяжьего жира
150 мл бренди или темного рома
200 г золотистого изюма
150 г различных цукатов
100 г вяленой вишни или клюквы
цедра 1 лимона
50 г жареного миндаля
по 1/2 ч. л. молотой корицы
    и душистого перца
1/4 ч. л. молотого мускатного ореха
щепотка соли
сливочное масло для смазывания
патока (или мед), орехи
    и сухофрукты для украшения

6 порций

Подготовка: 40 мин.
Приготовление: 5 ч плюс 1 месяц
    на выдерживание и 2 ч на прогрев

1. Измельчите миндаль. Залейте изюм, цукаты и вишню (клюкву) ромом или бренди и оставьте на 30 мин. Очень мелко порубите говяжий жир. Форму для пудинга смажьте сливочным маслом и обсыпьте небольшим количеством сухарей.
2. Взбейте миксером яйца, соль и сахар до образования пышной пены. Добавьте муку и сухари, перемешайте. Положите говяжий жир и перемешайте еще раз.
3. Добавьте все специи, измельченную лимонную цедру, миндаль и сухофрукты вместе с жидкостью. Аккуратно перемешайте и перелейте в форму. Накройте форму пергаментом, обвяжите шпагатом как можно крепче. Затем плотно оберните верхнюю часть формы фольгой.
4. Поместите форму в пароварку и готовьте 5 ч, при необходимости доливая воду. Полностью остудите пудинг, не снимая фольгу.
5. Поставьте пудинг в прохладное место на 1 месяц. Перед подачей прогрейте на пару (это займет примерно 2 ч). Подавайте горячим, сняв фольгу и пергамент и перевернув пудинг на тарелку. Украсьте орехами и сухофруктами, смешанными с патокой или медом.

Кстати

Если у вас есть возможность купить патоку, замените ею сахар в рецепте. Если вы не хотите использовать в этом блюде нутряной жир, замените его на 200 г хорошего сливочного масла. Вкус у пудинга получится более мягкий, но аромат – менее интенсивный. При желании пудинг можно выдерживать и дольше – до полугода, но и спустя неделю после приготовления он тоже очень хорош.

Мраморный кекс Это тот самый кекс, вкус которого дорог нам с детства. Кому не знакомо замирание сердца, когда отрезаешь первый кусочек и смотришь, какие мраморные разводы получились на этот раз? Подайте кекс со сладким соусом из сливок и тростникового сахара или с шариком ванильного мороженого – и на тарелках не останется ни крошки. Как и любое другое кондитерское изделие, содержащее сливочное масло, кекс вполне может храниться в холодильнике несколько дней. Да только кто ж ему даст?

5 яиц
100 г сладкосливочного масла плюс
  еще немного для смазывания
180 г муки
100 г светлого коричневого сахара
2–3 ст. л. несладкого какао-порошка
1/2 ч. л. разрыхлителя
1 пакетик (11 г) ванильного сахара
1 ст. л. коньяка
щепотка соли
сладкий соус для подачи
  (см. стр. 224)

6 порций
Подготовка: 25 мин.
Приготовление: 1 ч – 1 ч 15 мин.

1. Растопите и слегка остудите сливочное масло. Взбейте яйца и сахар в пышную пену. Добавьте просеянную с солью и разрыхлителем муку, затем масло, перемешайте и разделите тесто на 2 части.
2. В одну часть теста добавьте ванильный сахар, во вторую – какао-порошок и коньяк.
3. Выложите дно любой цельной емкости, пригодной для пароварки, смазанным маслом пергаментом. Столовой ложкой выкладывайте оба вида теста, чередуя темное и светлое. Накройте плотно емкость фольгой и поместите в пароварку на 40–45 мин.
4. Проверьте готовность кекса деревянной зубочисткой. Если на ней останутся крошки теста, верните контейнер в пароварку еще на 5–7 мин.
5. Остудите кекс, выложив на решетку, 20–30 мин. Затем нарежьте и подавайте со сладким соусом.

Кстати
Какао-порошок можно заменить темным (больше 60% какао) шоколадом. Его нужно предварительно поломать на небольшие кусочки и растопить на водяной бане или в микроволновой печи. Кекс получится более плотным, но с гораздо более интенсивными ароматом и вкусом.

Если пчелам недостаточно цветов, они собирают так называемую «падь» – сок, выделяемый листьями и стеблями или тлёй (медвяная роса). Падевый мед менее ценный и быстрее скисает. Через некоторое время после того, как его вынули из сот, свежий мед начинает кристаллизоваться («садиться»). Быстрее всего засахаривается сурепковый и рапсовый мед; медленнее всего – донниковый и фацелиевый. Общее правило таково: если вы купили мед позднее декабря, а он все еще прозрачный и жидкий – значит, скорее всего, его нагревали (следовательно, большая часть целебных качеств в нем утрачена) или добавили в него патоку. Если, засахариваясь, мед образует крупные и жесткие кристаллы – значит, пчелы добыли его не из цветочного нектара, и даже не из пади, а из сахарного сиропа, которым их кормили недобросовестные пчеловоды. Толку в таком меде практически никакого. Лечебные качества настоящего меда разных сортов существенно различаются. Самыми ценными считаются акациевый и липовый.

Медовый бисквит Этот десерт не слишком похож на привычный нам бисквит – он немного более плотный и по вкусу, и по консистенции. Возьмите для его приготовления самый вкусный и самый ароматный мед – не пожалеете. Подайте бисквит на вечеринке для школьных подруг – и вас потом замучают просьбами поделиться рецептом. А вы ссылайтесь на нашу книжку...

220 г муки
3 небольших яйца
1,5 стакана сливок жирностью 22%
1/2 стакана жидкого меда
1/3 стакана коричневого сахара
100 г сладкосливочного масла
1,5 ч. л. разрыхлителя
морская соль
масло для смазывания

4–6 порций
Подготовка: 20 мин.
Приготовление: 1 ч 30 мин.

1. Просейте муку с разрыхлителем и солью в миску. В другой миске взбейте миксером размягченное масло с сахаром до пышности.
2. Не прекращая взбивать, вбейте яйца – по одному, каждый раз добиваясь однородности, прежде чем добавить следующее яйцо.
3. Затем поочередно и понемногу добавляйте в мучную смесь и сливки, каждый раз взбивая до однородности.
4. Хорошенько смажьте маслом любую цельную емкость, пригодную для пароварки. Полейте дно емкости примерно 1/4 меда. Влейте тесто. Накройте емкость промасленным куском пергамента и заверните в фольгу.
5. Установите емкость в пароварку и готовьте бисквит 1,5 ч, по необходимости доливая воду.
6. Готовый бисквит слегка остудите, снимите фольгу и пергамент, переверните на блюдо. Пока он горячий, полейте оставшимся медом и полностью остудите.

Кстати
Если у вас есть хороший, вкусный мед, но он засахарился, не переживайте: такой тоже подойдет. Просто растопите его в пароварке, прикрыв фольгой, или в микроволновой печи на небольшой мощности.

Торт шоколадный трюфель   Любой трюфель – это всегда что-то особенное, супервкусное: начиная с гриба и заканчивая конфетами. В этом торте (который, кстати, отличается полным отсутствием муки) тоже все самое лучшее: консистенция, насыщенность, аромат... Если хотите, можете сделать его более или менее сладким, регулируя количество сахара по своему вкусу, но шоколад обязательно возьмите горький, с содержанием какао не меньше 70%, а лучше даже больше.

Начинайте готовить за 9 ч до подачи

400 г темного (70% какао) шоколада
200 г сладкосливочного масла
1/4 стакана апельсинового сиропа
6 больших яиц
2/3 стакана коричневого сахара

6–8 порций
Подготовка: 20 мин.
Приготовление: 8 ч

1. Нарежьте масло маленькими кубиками. Порубите шоколад на небольшие кусочки, поместите в миску. Добавьте масло и сироп и растопите все на водяной бане (или поставьте в микроволновую печь на 2–3 мин.). Оставьте на 5 мин.
2. В отдельной миске взбейте миксером яйца с сахаром в пену, примерно 4 мин. Осторожно добавьте шоколадную смесь в яичную и перемешайте.
3. Выстелите форму для торта тремя слоями пленки так, чтобы края сильно свисали. Влейте тесто в форму и накройте свисающими слоями пленки. Сверху плотно накройте форму фольгой.
4. Установите форму в пароварку и готовьте, по необходимости подливая воду, 2 ч. Затем выньте из пароварки и полностью остудите.
5. Переставьте остывший торт в холодильник минимум на 6 ч. При подаче выньте торт из формы, приподнимая за края пленки, и переверните на блюдо. Нарежьте на куски, смачивая нож в кипятке.

Кстати
Этот торт хорошо подавать с малиновым сорбе, которое легко сделать дома. Смешайте малину (можно взять замороженную) и сахар (возьмите мелкий светло-коричневый или сахарную пудру) в соотношении 4:1, взбейте блендером и протрите через сито. Получившуюся массу влейте в контейнер для замораживания и поставьте в морозильник. Перемешивайте вилкой каждые 30 мин. Сорбе будет готово примерно через 4–6 ч.

Пудинг из хурмы с абрикосовой глазурью Хурма довольно редко используется на кухне – чаще всего ее едят просто так, наслаждаясь сладкой, ароматной мякотью. Но эти же качества делают ее буквально незаменимой для паровых десертов! А если вы захотите сделать такой пудинг украшением стола, возьмите еще один плод хурмы, тонко нарежьте его и выложите поверх готового десерта. Красота!

**Начинайте готовить
за 3,5 ч до подачи**

2 большие очень спелые хурмы
1,5 стакана муки
1,5 стакана коричневого сахара
2 больших яйца
100 г сливочного масла
сок половины лимона
1,5 ч. л. разрыхлителя
по 1/2 ч. л. имбирного порошка
    и молотой корицы
щепотка молотого мускатного ореха
морская соль на кончике ножа
масло для смазывания

Для глазури:
4 ст. л. абрикосового джема
1–3 ст. л. коньяка, по желанию

6 порций
Подготовка: 25 мин.
Приготовление: 3 ч

1. Просейте муку с солью и разрыхлителем в миску. Добавьте все специи и перемешайте. Отдельно взбейте масло с сахаром до пышности.
2. Продолжая взбивать, по одному добавьте яйца. Смешайте яично-масляную смесь с мучной до однородности.
3. Разрежьте хурму пополам, ложкой выскребите всю мякоть, удалите косточки, разомните мякоть в пюре вилкой или порубите ножом, если хурма плотная. Полейте получившееся пюре лимонным соком, перемешайте и добавьте в тесто. Вымесите до однородности.
4. Хорошенько смажьте маслом и присыпьте мукой форму для пудинга с отверстием посередине. Смажьте также кусок сложенной вдвое фольги (с одной стороны). Влейте тесто в форму, плотно закройте фольгой.
5. Установите пудинг в пароварку и готовьте, пока воткнутая в пудинг деревянная палочка не будет выходить сухой, примерно 2 ч. По необходимости доливайте воду.
6. Готовый пудинг слегка остудите в форме, затем переверните на тарелку. Для глазури влейте в маленький сотейник коньяк или воду (2–3 ст. л.), положите абрикосовый джем и доведите до кипения. Смажьте горячей глазурью теплый пудинг, полностью остудите (примерно 1 ч) и подавайте.

Кстати
Этот пудинг очень вкусно есть, полив заварным кремом с корицей. Для крема взбейте 6 желтков с 6 ст. л. сахара. Доведите до кипения 2 стакана молока, тонкой струйкой влейте в желтковую смесь, поставьте на минимальный огонь или на водяную баню и варите, все время помешивая венчиком, до загустения, не давая кипеть. Затем добавьте в смесь молотую корицу по вкусу, перемешайте и процедите, остудите и поставьте в холодильник до использования.

Ленивые вареники   «Ленивчики», «ленивые вареники», «творожные галушки» – это все названия одного и того же блюда, горячо любимого в самых разных городах и весях нашей большой страны. Настолько любимого, что имеет смысл заготовить сразу двойную порцию вареников: половину сварить сразу, а вторую – убрать в морозилку и вынимать по мере надобности. Кстати, количество муки может быть изменено в ту или другую сторону. Чем меньше муки, тем более творожным будет вкус вареников и тем сложнее справиться с тестом. И наоборот, увеличьте объем муки – и вареники получатся более плотными, но легкими в работе. Выбор за вами...

300 г творога
2 яйца
100 г муки плюс еще для присыпки
2 ст. л. сахара
30–50 г сливочного масла плюс
    еще немного для смазывания
1/4 ч. л. разрыхлителя
соль
сметана или фруктовый соус для
    подачи

4 порции
Подготовка: 40 мин.
Приготовление: 15 мин.

1. Протрите творог через сито.
2. Перемешайте протертый творог с яйцами, солью и сахаром до однородности. Добавьте муку и замесите тесто. Оставьте на 20 мин., накрыв пленкой.
3. На присыпанной мукой поверхности раскатайте тесто в пласт толщиной 1 см, нарежьте острым ножом полоски шириной 2 см, затем ромбики.
4. Поместите кусочки теста в смазанную маслом пароварку и готовьте 15 мин. Растопите сливочное масло. Готовые вареники положите в миску и полейте растопленным маслом. Подавайте со сметаной или фруктовым соусом.

Кстати
Покупая продукты для вареников, нужно помнить: из плохого творога вкусные вареники не получатся! Выбирайте самый лучший творог средней жирности, нежный и не кислый. Его можно, конечно, и не протирать, но из подготовленного таким образом творога вареники получаются нежнее и вкуснее. При желании в тесто для вареников или при подаче хорошо добавить немного молотой корицы.

Соусы

Обратите внимание: это не соусы, которые нужно готовить на пару. Это соусы, которые можно подавать к блюдам на пару! Соленые и сладкие, пряные и нежные, фруктовые и мясные – выбирайте на любой вкус, к любому продукту.

Домашний майонез из перепелиных яиц

Должны предупредить вас: нечего даже пытаться у себя на кухне достичь вкуса промышленного майонеза. Вы же делаете этот прекрасный соус из натуральных ингредиентов, а не из порошка. И без эмульгаторов, консервантов и прочих добавок...

4 перепелиных яйца
4 желтка перепелиных яиц
1 ч. л. дижонской горчицы
1–2 ст. л. лимонного сока
200 мл легкого оливкового масла
свежемолотый белый перец,
   по желанию
соль

Для майонеза с травами:
маленький пучок шнитт-лука
средний пучок петрушки
маленький пучок тархуна
2 зубчика чеснока

Для яблочного майонеза:
1 большое зеленое яблоко
по 1 ч. л. семян кориандра,
   душистого и белого перца
   горошком
1/2 ч. л. молотой куркумы
щепотка коричневого сахара
щепотка кайенского перца

Для орехового майонеза:
200 мл масла из грецкого ореха
   или фундука
небольшая горсть очищенных
   орехов (соответствующих маслу)
щепотка коричневого сахара

1. Для базового майонеза положите в миску яйца, желтки, горчицу, соль, перец (по желанию), влейте лимонный сок и взбейте венчиком или миксером до однородности.
2. Продолжая взбивать, вливайте масло по каплям. Взбивайте до тех пор, пока соус не начнет светлеть и превращаться в эмульсию. После этого можно вливать масло очень тонкой струйкой. Если соус начнет расслаиваться, добавьте 1 ст. л. теплой кипяченой воды.
3. Для майонеза с травами снимите у петрушки и тархуна листочки со стеблей (стебли не понадобятся). Чеснок и шнитт-лук измельчите, положите в ступку, добавьте листочки петрушки и тархуна, разотрите в пасту. Смешайте получившуюся пасту с базовым майонезом. Подавайте к холодной рыбе и овощам.
4. Для яблочного майонеза наколите яблоко со всех сторон вилкой, положите в небольшую керамическую форму, влейте немного воды и поставьте в разогретую до 180 °C духовку. Запекайте до мягкости, примерно 30 мин. Готовое яблоко протрите через сито. Все специи измельчите в пудру в ступке или кофемолке. Смешайте базовый майонез с яблочным пюре и специями. Подавайте к холодной птице и жирному мясу (запеченной шейке, например), а также к салатам из птицы.
5. Для орехового майонеза орехи положите на противень, поставьте в разогретую до 180 °C духовку на 7–10 мин. За это время пару раз перемешайте. Затем положите горячие орехи в полотенце и потрите их, чтобы избавиться от шелухи. Мелко порубите примерно половину орехов, вторую половину измельчите в пудру в кофемолке или кухонном комбайне. При приготовлении базового майонеза вместо оливкового масла используйте ореховое. Добавьте в готовый майонез оба вида орехов: Подавайте к холодному мясу и рыбе, а также к мясным и рыбным салатам.

Кстати
Базовый майонез – это, пожалуй, самый универсальный холодный соус. При его приготовлении нужно проявить терпение и вливать масло действительно по чуть-чуть, потому что, проделав это слишком быстро, можно все испортить – майонез начнет расслаиваться. В процессе приготовления несколько раз пробуйте, добавляя соль, сахар или лимонный сок и доводя вкус до оптимального, на ваш взгляд. Вы можете сделать майонез и с оливковым маслом «экстра вирджин» – тогда у него будет сильный оливковый вкус с горчинкой.

Староанглийский соус

Классика западно-европейской кухни – соусы на основе черносмородинового желе, подаваемые к мясу или птице.

1 большой апельсин
150 г черносмородинового желе
4 ст. л. портвейна
по 1 ч. л. горчицы и хрена
1 ч. л. коричневого сахара
щепотка белого перца
соль, свежемолотый черный перец

1. Срежьте с апельсина тонкие полоски цедры, из апельсина выжмите сок. Смородиновое желе прогрейте на небольшом огне, чтобы оно стало жидким.
2. Соедините смородиновое желе, портвейн, апельсиновый сок и цедру, добавьте хрен, горчицу, сахар, соль и перец и перемешайте. Уберите в холодильник на 1 ч.

Песто из базилика

Традиционно все компоненты соуса песто долго растирались в ступке, наполняя кухню божественным ароматом базилика. Добавляйте песто в супы, пасту и ризотто.

большой пучок зеленого базилика
30 г очищенных кедровых орешков
50 г тертого пармезана
1 зубчик чеснока
1 ст. л. лимонного сока
100–120 мл оливкового масла
  «экстра вирджин»
соль, свежемолотый черный перец

1. Отделите от стеблей листочки базилика и положите в ступку или блендер. Влейте лимонный сок, оливковое масло, добавьте сыр, кедровые орешки и чеснок, посолите и поперчите.
2. Измельчите все компоненты до однородности.

Песто из мяты

Один из многочисленных вариантов всеми любимого соуса. Великолепно подходит к овощам, вторым блюдам из морепродуктов и рыбы, а также к индейке и курице.

большой пучок мяты
50 г очищенных фисташек
небольшой стручок зеленого чили
100 г сыра пекорино
150 мл оливкового масла «экстра
  вирджин»
соль, свежемолотый черный перец

1. Отделите от стеблей листочки мяты. Очистите от семян и крупно нарежьте чили. Положите в ступку или блендер мяту с чили, фисташки и сыр, влейте масло, посолите и поперчите.
2. Измельчите все компоненты до однородности.

Медово-грибной соус

Благодаря меду и бальзамическому уксусу грибы в соусе выглядят блестящими и аппетитными. Лучше всего подавать грибной соус к рыбе.

200 г вешенок
по 2 ст. л. меда и бальзамического
  уксуса
1 ст. л. лимонного сока
3 ст. л. оливкового масла «экстра
  вирджин»
несколько веточек тимьяна
2–3 пера зеленого лука
соль, свежемолотый черный перец

1. Мелко нарежьте вешенки. Разогрейте в глубокой сковородке масло и обжарьте грибы, помешивая, 5 мин. Добавьте мед, лимонный сок, уксус и листочки тимьяна и готовьте до загустения, 5–7 мин.
2. Мелко нарежьте зеленый лук и добавьте в соус. Посолите, приправьте перцем и прогрейте. Подавайте горячим.

Соус из запеченного перца

Универсальный соус к мясу, птице, рыбе, пасте, овощам, сыру...

4 больших сладких красных перца
сок половины лимона
оливковое масло «экстра вирджин»
соль, свежемолотый черный перец

1. Смажьте перцы маслом и положите под гриль. Запекайте до черных подпалин, переложите в пакет на 15 мин. Очистите перцы от семян и кожицы.
2. Положите очищенные перцы в блендер, добавьте лимонный сок, масло, соль и перец. Взбейте до однородности.

Соус болоньезе

Прославленный соус из Болоньи требует к себе особого внимания. Готовьте его долго и тщательно, и он отблагодарит вас насыщенным и вместе с тем мягким мясным вкусом.

500 г фарша из говядины или
   телятины
по 2 черешка сельдерея, луковицы
   шалота и зубчика чеснока
2 охотничьи колбаски
300 мл красного сухого вина
400 г протертых помидоров
1 ч. л. коричневого сахара
2–3 веточки базилика
оливковое масло «экстра вирджин»
соль, свежемолотый черный перец

1. Мелко нарежьте шалот, сельдерей и чеснок. Потушите овощи в масле, 5 мин. Добавьте фарш и жарьте на сильном огне, разбивая комки, 5 мин. Добавьте нарезанные кружками колбаски.
2. Влейте вино, добавьте помидоры, соль, перец и сахар; доведите до кипения. Добавьте измельченный базилик, готовьте на минимальном огне под крышкой, помешивая, 1 ч.

Чатни из цукини

Этот яркий пример индийской кухни прекрасно оттеняет рис, свинину или курицу.

по 1 средней луковице и цукини
2 сладких красных перца
400 г протертых помидоров
по 1 ч. л. табаско и вустерского соуса
1 ст. л. коричневого сахара
маленький пучок кинзы
соль, свежемолотый черный перец

1. Все овощи нарежьте мелкими кубиками и положите в сотейник. Измельчите кинзу и добавьте к овощам вместе с помидорами, табаско и вустерским соусом.
2. Приправьте сахаром, посолите, поперчите и готовьте на маленьком огне под крышкой, помешивая, примерно 30 мин. Подавайте холодным.

Чатни из яблок

Скептики могут пропустить этот рецепт не глядя. Яблоки и лук? А вот смельчаки-экспериментаторы будут приятно удивлены результатами. Подавайте с рисом.

4 сладких яблока
1 большая луковица
50 г золотистого изюма
2 зубчика чеснока
3 ст. л. белого винного уксуса
100 мл белого сухого вина
2 ст. л. коричневого сахара
1 ч. л. семян горчицы
1 см свежего имбиря
щепотка кайенского перца

1. Очистите яблоки, лук и нарежьте мелкими кубиками. Мелко порубите чеснок и имбирь. Все сложите в сотейник, добавьте изюм и сахар, влейте уксус и вино.
2. Приправьте семенами горчицы и перцем, накройте крышкой и готовьте на самом маленьком огне, периодически помешивая, 30 мин. Перед подачей выдержите в холодильнике 24 ч.

Соус из копченого лосося

Идеально подходит к блюдам из картофеля, пасте и рису.

300 г подкопченного лосося
2 небольшие луковицы шалота
100 мл шампанского
150 мл овощного бульона или воды
100 мл сливок жирностью 20%
2 ст. л. оливкового масла
1 ст. л. муки
1 ст. л. лимонного сока
соль, свежемолотый черный перец
шнитт-лук и базилик по вкусу

1. Удалите из лосося мелкие косточки и нарежьте филе узкими длинными полосками. Шнитт-лук и базилик мелко нарежьте. Влейте в сотейник 100 мл бульона, шампанское и сливки; нагрейте почти до кипения.
2. Мелко нарежьте шалот и потушите до мягкости в масле, 5 мин. Всыпьте в сковородку муку, перемешайте. Добавьте оставшийся бульон и размешайте, не оставляя комков.
3. Влейте в сотейник мучную заправку и готовьте на маленьком огне, помешивая, 5 мин. Добавьте кусочки лосося, посолите, влейте лимонный сок, приправьте перцем и прогрейте, не допуская интенсивного кипения, еще 2–3 мин. Перед подачей всыпьте шнитт-лук и базилик.

Арахисовый соус

Оригинальный ореховый соус, подчеркивающий вкус любого блюда из птицы.

200 г арахисовой пасты без кусочков
200 мл любого бульона
1 зубчик чеснока
2 ст. л. жидкого меда
1/2 ч. л. хлопьев чили

1. Мелко порубите чеснок. Соедините арахисовую пасту, чеснок, мед и чили, влейте бульон и перемешайте.
2. При слабом нагреве доведите до кипения, снимите с огня и подавайте, слегка остудив.

Соус бешамель

Любое блюдо – из овощей, мяса или птицы – в сочетании с соусом бешамель становится настоящим лакомством. Кроме того, он может быть основой для многих других соусов.

2 стакана молока
60 г сливочного масла
2 ст. л. муки
1 лавровый лист
щепотка молотого мускатного ореха
соль, свежемолотый черный перец

1. Растопите в сотейнике с толстым дном сливочное масло. Всыпьте муку и обжарьте на маленьком огне, постоянно помешивая, 2 мин. В другую кастрюлю налейте молоко, добавьте лавровый лист и подогрейте, не доводя до кипения.
2. Тонкой струйкой, постоянно помешивая, влейте молоко в масляно-мучную смесь. Посолите по вкусу и доведите до кипения при постоянном помешивании. Приправьте перцем и мускатным орехом, готовьте 1–2 мин.

Соус из тыквы с розмарином

Розмарин придаст нейтральной тыкве тонкий аромат, сливки – мягкость, а чеснок и бренди – необходимую пикантность.

300 мл куриного бульона
400 г тыквы
2 средние луковицы шалота
2 зубчика чеснока
100 мл жирных сливок
2 ст. л. бренди
1 большая веточка розмарина
3 ст. л. оливкового масла
соль, свежемолотый черный перец

1. Очистите тыкву и нарежьте произвольными кусочками. Чеснок измельчите. Лук-шалот очистите и мелко нарежьте. Разогрейте в сотейнике масло и потушите лук до мягкости, 5–7 мин. Добавьте тыкву, чеснок и целую веточку розмарина и обжарьте на сильном огне, интенсивно перемешивая, 2 мин.
2. Влейте бульон, посолите и приправьте перцем. Уменьшите нагрев до минимального и готовьте под крышкой 15 мин. Удалите розмарин и взбейте соус блендером. Влейте бренди и сливки, перемешайте и прогрейте, не доводя до кипения.

Свекольный соус с хумусом   В этом замечательном дипе Азия встречается с Европой – хумус выступает как представитель кулинарных изысков стран Ближнего Востока, а свекла – как наше все.

1 большая свекла
1 средняя луковица шалота
200 г готового хумуса
2 зубчика чеснока
2 ст. л. лимонного сока
4 ст. л. оливкового масла
соль, свежемолотый черный перец

1. Свеклу, не очищая, сварите на пару до мягкости, 50–60 мин. Очистите и нарежьте небольшими кубиками. Очистите и мелко нарежьте лук и чеснок и обжарьте на оливковом масле, 2 мин.
2. Положите свеклу, хумус, лимонный сок, лук и чеснок в чашу блендера и взбейте в пюре. Посолите и приправьте перцем. Перемешайте и подавайте охлажденным.

Домашний кетчуп   Приготовьте его своими руками, и вы навсегда успокоите свою совесть. Можно будет спокойно смотреть на залитые кетчупом тарелки и не вспоминать о консервантах и красителях.

300 мл томатного пюре
2 зубчика чеснока
3 ст. л. яблочного уксуса
1 ст. л. коричневого сахара
2 ст. л. вустерского соуса
несколько капель табаско
1 ч. л. кукурузного крахмала
2 ст. л. томатного сока
соль, свежемолотый черный перец

1. Томатное пюре положите в сотейник. Очистите чеснок, измельчите, добавьте в сотейник. Поставьте сотейник на маленький огонь и влейте уксус, табаско, вустерский соус, приправьте солью, перцем и сахаром. Доведите до кипения.
2. Соедините томатный сок или воду с кукурузным крахмалом, перемешайте и влейте тонкой струйкой в сотейник, постоянно перемешивая. Доведите до кипения и снимите с огня. Переложите в стеклянную посуду и оставьте на 12 ч.

Сальса из помидоров с чили   Летняя и яркая, пряная и сочная – это все о ней. Подавайте сальсу холодной и не забудьте дать ей настояться не менее 1 ч.

3 спелых крупных помидора
1 средняя красная луковица
1 небольшой зеленый перец чили
1 лайм
3 филе анчоусов
по 3–4 веточки кинзы, мяты и орегано
соль, свежемолотый черный перец

1. Сделайте на помидорах крестообразные надрезы, ошпарьте кипятком, обдайте холодной водой и снимите кожицу. Удалите семена, мякоть нарежьте маленькими кубиками. У чили удалите семена, мякоть измельчите.
2. Луковицу нарежьте мелкими кубиками. Филе анчоусов разомните вилкой. Из лайма выжмите сок. Отделите листочки пряных трав от стеблей и мелко нарежьте. Соедините все компоненты в миске, посолите, поперчите и перемешайте. Оставьте настояться, 1 ч.

Дип из белой фасоли   Можете подать его как дополнение к сваренным на пару овощам, или как гарнир к птице, или упаковать в контейнер и взять с собой, чтобы просто намазать на хлеб.

400 г консервированной белой
  фасоли
2 зубчика чеснока
1 ст. л. лимонного сока
маленький пучок петрушки
5 ст. л. оливкового масла
щепотка молотой зиры
соль, свежемолотый черный перец

1. Отделите листья петрушки от стеблей. Из банки с фасолью слейте жидкость. Чеснок мелко нарежьте.
2. Соедините фасоль, петрушку, чеснок, лимонный сок и оливковое масло и пробейте блендером. Приправьте по вкусу зирой, перцем и солью. Дайте настояться, 30 мин.

GASCO

из белой фасоли

...ни
...овка: 5 мин
...овление: 10 мин

...сервированной бело...асоли
...чеснока
...онного
...ушки
...кового
...ото...
...моло... ...одного о...

...е листья пе...
...режьте.
...е фасоль, петрушку, ...
...е по вкус... ...лью сле...
...перец ...о вк...

Карамельный соус
Этот соус должен обязательно понравиться тем, кто отдает предпочтение горячим пудингам, пропитанным густой карамелью со специфическим ароматом тростникового сахара и сливок.

150 г тростникового сахара
50 г сливочного масла
200 мл сливок жирностью 20%

1. Растопите масло в сотейнике и добавьте сахар. Нагревайте, пока сахар не начнет плавиться, постоянно помешивая. Доведите до кипения и готовьте 2 мин.
2. Осторожно (соус будет брызгаться!) влейте сливки, перемешайте и прогрейте до кипения. Подавайте горячим.

Мятный соус из белого шоколада
Белый шоколадный соус наведет глянец на любой десерт, только выбирайте шоколад самого хорошего качества.

200 г белого шоколада
200 мл сливок
4 веточки мяты
1 ст. л. светлого рома
1 ст. л. тростникового сахара

1. Оборвите листочки мяты со стеблей, нарежьте и положите в небольшую кастрюльку. Добавьте сахар и 50 мл воды, доведите до кипения. Снимите с огня и дайте настояться под крышкой 10 мин. Процедите через частое сито в сотейник.
2. Наломайте шоколад на небольшие кусочки. Влейте в сотейник с мятным сиропом сливки и ром, добавьте шоколад. Держите на маленьком огне, постоянно перемешивая, пока шоколад не растворится. Подавайте теплым.

Пуншевый соус
Это очень серьезный соус с ярко выраженным ароматом рома и корицы. Прекрасно сочетается с легким бисквитом или кексом.

200 мл красного сухого вина
2 желтка
3 ст. л. коричневого сахара
50 мл темного рома
2 ст. л. лимонного сока
1 ст. л. картофельного крахмала
щепотка молотой корицы

1. Разотрите желтки с сахаром, корицей и лимонным соком. Добавьте крахмал, влейте вино и перемешайте.
2. Посуду с соусом поставьте на водяную баню и готовьте, непрерывно взбивая, до загустения. Влейте ром, еще раз взбейте и подавайте горячим.

Вишневый соус
Этот деликатесный соус мог бы и сам взять на себя роль десерта. Бисквиты или пудинги, вобрав в себя ароматы ягод, станут украшением вашего стола.

300 г вишни без косточек, свежей или замороженной
100 г сахара
120 мл сухого белого вина
1 ст. л. картофельного крахмала
2 ст. л. апельсинового ликера

1. Положите вишню в сотейник, добавьте сахар, влейте 150 мл воды, доведите до кипения и варите 5 мин.
2. Разведите крахмал холодным белым вином, влейте в сотейник с вишней и доведите до кипения, постоянно перемешивая. Добавьте ликер и перемешайте. Подавайте горячим.

14. Меню. Весна

Научиться готовить полезные блюда – это прекрасно. Но недостаточно. Потому что эти блюда еще нужно уметь правильно друг с другом сочетать. Предлагаем вам 4 сезонных сбалансированных недельных меню на базе рецептов из этой книги.

	Завтрак	Обед	Полдник	Ужин
Понедельник	Бостонский темный хлеб (стр. 186) + кофе или черный чай	Фаршированный перец (стр. 66) + соус болоньезе (стр. 218) + зеленый чай	Салат из морской форели с имбирно-грейпфрутовой заправкой (стр. 20)	Гамбургер в азиатском стиле (стр. 88) + домашний кетчуп (стр. 222) + зеленый салат + травяной чай
Вторник	Любая каша по вашему выбору + чатни из цукини (стр. 218) + кофе или черный чай	Булгур с баклажанами и вешенками (стр. 164) + зеленый чай	Флан из моркови и кольраби (стр. 156)	Морепродукты с тофу (стр. 120) + зеленый салат + травяной чай
Среда	Свежие или паровые овощи + дип из белой фасоли (стр. 222) + кофе или черный чай	Зеленый горошек с грибами (стр. 150) + зеленый чай	Морковь по-корейски (стр. 134) + тосты из цельнозернового хлеба	Рисовые шарики с пряной курицей (стр. 98) + зеленый салат + травяной чай
Четверг	Творог или йогурт + песто из базилика (стр. 216) + кофе или черный чай	Постные щи с грибами (стр. 54) + зеленый чай	Свежие или паровые овощи + домашний майонез из перепелиных яиц (стр. 214)	Дим сам с креветками и китайской капустой (стр. 122) + розмариновые шашлычки из форели с овощным салатом (стр. 106) + травяной чай
Пятница	Вареные яйца + соус из копченого лосося (стр. 220) + кофе или черный чай	Тыквенные мини-пудинги с курицей и перцем (стр. 152) + зеленый чай	Постные голубцы с перловкой (стр. 160)	Рулетики из индейки со шпинатом (стр. 104) + зеленый салат + травяной чай
Суббота	Конвертики из цукини с овечьим сыром (стр. 16) + кофе или черный чай	Суп из брокколи с йогуртом и пармезаном (стр. 42) + тосты из цельнозернового хлеба + зеленый чай	Молодой сыр (адыгейский, моццарелла, сулугуни) + чатни из яблок (стр. 218)	Дорада со сладким перцем и цукини (стр. 118) + зеленый салат + травяной чай
Воскресенье	Яичный крем с крабами (стр. 38) + кофе или черный чай	Рулетики из камбалы и лосося с белым соусом (стр. 108) + зеленый чай	Рисовый пудинг с кокосом и ананасом (стр. 184)	Курица с грибами (стр. 94) + зеленый салат + травяной чай

	Завтрак	Обед	Полдник	Ужин
Понедельник	Домашний или адыгейский сыр + песто из мяты (стр. 216) + кофе или черный чай	Холодный суп из авокадо и цукини (стр. 52) + тосты из цельнозернового хлеба + зеленый чай	Свежие или паровые фрукты + пуншевый соус (стр. 224)	Целая рыба по-кантонски (стр. 128) + зеленый салат + травяной чай
Вторник	Гречневая каша, булгур или кускус + соус из запеченного перца (стр. 218) + кофе или черный чай	Картофельный салат с зеленым горошком и беконом (стр. 34) + зеленый чай	Роллы из рисовой бумаги с креветками (стр. 124)	Трубочки из капусты со свининой (стр. 86) + зеленый салат + травяной чай
Среда	Творог или йогурт + свежие овощи + кофе или черный чай	Минестроне (стр. 46) + зеленый чай	Спаржа с голландским соусом (стр. 132) + тосты из цельнозернового хлеба	Лосось, маринованный в пяти специях (стр. 126) + зеленый салат + травяной чай
Четверг	Свежие или паровые фрукты + мятный соус из белого шоколада (стр. 224) + кофе или черный чай	Брокколи (или цветная капуста) под соусом бешамель (стр. 138) + зеленый чай	Зеленый салат с рулетиками из рыбы и яиц (стр. 22) + тосты из цельнозернового хлеба	Паста с курицей и овощами (стр. 162) + травяной чай
Пятница	Тосты из цельнозернового хлеба + сальса из помидоров с чили (стр. 222) + кофе или черный чай	Зеленая фасоль в китайском стиле (стр. 136) + рис + зеленый чай	Свежие или паровые фрукты + карамельный соус (стр. 224)	Говяжья вырезка в пряностях (стр. 70) + теплый салат из молодого картофеля и спаржи (стр. 28) + травяной чай
Суббота	Творог или йогурт + песто из базилика (стр. 216) + кофе или черный чай	Фаршированная щука (стр. 116) + зеленый чай	Вареники с вишней (стр. 178)	Чахохбили из курицы (стр. 96) + зеленый салат + травяной чай
Воскресенье	Десерт из риса с персиками и грушами (стр. 194) + кофе или черный чай	Картофель в мундире с тремя дипами (стр. 154) + зеленый чай	Цукини с чесночным маслом (стр. 142) + тосты из цельнозернового хлеба	Утиная грудка в сметане (стр. 92) + зеленый салат + травяной чай

	Завтрак	Обед	Полдник	Ужин
Понедельник	Паровой омлет в корейском стиле (стр. 40) + кофе или черный чай	Свежие или паровые овощи + арахисовый соус (стр. 220) + зеленый чай	Медовые груши (стр. 188)	Рыба в листьях пекинской капусты (стр. 130) + зеленый салат + травяной чай
Вторник	Тосты из цельнозернового хлеба + морковь в марокканском стиле (стр. 140) + кофе или черный чай	Рататуй (стр. 146) + цельнозерновые макароны или рис + зеленый чай	Медовый бисквит (стр. 206) + свежие фрукты	Колбаски в беконе (стр. 76) + свежие или паровые овощи + травяной чай
Среда	Фальшивое картофельное пюре с сыром (стр. 158) + кофе или черный чай	Острые креветки в пиве с пикантным соусом (стр. 30) + овощной салат + зеленый чай	Овощная закуска с лимонно-базиликовой заправкой (стр. 32) + тосты из цельнозернового хлеба	Бефстроганов из телятины (стр. 64) + зеленый салат + травяной чай
Четверг	Кокосовые кексы в индонезийском стиле (стр. 200) + йогурт + кофе или черный чай	Баклажаны с чесноком и мятой (стр. 148) + лапша или тосты из цельнозернового хлеба + зеленый чай	Салат из языка с орехами и зеленой фасолью (стр. 24)	Курица с острым соусом в китайском стиле (стр. 100) + зеленый салат + травяной чай
Пятница	Любая каша по вашему выбору + соус из тыквы с розмарином (стр. 220) + кофе или черный чай	Густой морковный суп с острым маслом (стр. 56) + тосты из цельнозернового хлеба + зеленый чай	Шоколадный пудинг с миндалем и фисташками (стр. 192)	Традиционный британский слоеный пудинг (стр. 62) + староанглийский соус (стр. 216) + зеленый салат + травяной чай
Суббота	Ленивые вареники (стр. 212) + вишневый соус (стр. 224) + кофе или черный чай	Морской язык в соусе из шампанского с креветками (стр. 114) + зеленый салат + зеленый чай	Пудинг из хурмы с абрикосовой глазурью (стр. 210) + свежие фрукты	Манты с бараниной и тыквой (стр. 82) + зеленый салат + травяной чай
Воскресенье	Клецки с петрушкой и чесночным маслом (стр. 174) + свежие овощи + кофе или черный чай	Ризотто с зеленым горошком (стр. 170) + зеленый чай	Персики, начиненные финиками (стр. 190)	Баранина с шафраном (стр. 78) + медово-грибной соус (стр. 216) + зеленый салат + травяной чай

	Завтрак	Обед	Полдник	Ужин
Понедельник	Кнедлики из белого хлеба (стр. 176) + кофе или черный чай	Рис с грибами и брокколи (стр. 172) + зеленый чай	Суфле из форели (стр. 110)	Азу по-татарски (стр. 68) + зеленый салат + травяной чай
Вторник	Йогурт + мраморный кекс (стр. 204) + кофе или черный чай	Густой суп из красной чечевицы (стр. 50) + зеленый чай	Шляпки шампиньонов с креветками и ветчиной (стр. 26)	Буженина (стр. 72) + соус из запеченного перца (стр. 218) + зеленый салат + травяной чай
Среда	Тосты из цельнозернового хлеба + свекольный соус с хумусом (стр. 222) + кофе или черный чай	Перловый суп с овощами и беконом (стр. 48) + зеленый чай	Винегрет (стр. 18)	Карри из белой рыбы (стр. 112) + клейкий тайский рис (стр. 182) + зеленый салат + травяной чай
Четверг	Творожное суфле (стр. 198) + кофе или черный чай	Гречневая каша с овощами и вешенками (стр. 168) + зеленый чай	Рыбные роллы (стр. 36) + зелень	Курица-призрак с пастой чили и зеленым луком (стр. 102) + зеленый салат + травяной чай
Пятница	Кускус с тыквой и сельдереем (стр. 166) + кофе или черный чай	Китайские пельмени (стр. 84) + свежие овощи + зеленый чай	Апельсиновый флан (стр. 196) + свежие фрукты	Оссобуко (стр. 60) + зеленый салат + травяной чай
Суббота	Свежие овощи (сельдерей, сладкий перец, огурцы) + паштет из куриной печенки (стр. 90) + кофе или черный чай	Суп-крем из тыквы с миндалем (стр. 44) + зеленый чай	Торт шоколадный трюфель (стр. 208)	Свинина по-нормандски (стр. 74) + зеленый салат + травяной чай
Воскресенье	Китайские паровые булочки (стр. 180) + свежие овощи + зеленый чай	Суп с перцем и брюссельской капустой (стр. 58) + зеленый чай	Английский пудинг (стр. 202)	Пряная ягнятина с кешью и имбирем (стр. 80) + лук-порей с горчичным соусом (стр. 144) + зеленый салат + травяной чай

Сравнительная таблица мер и весов (в граммах)

продукт	стакан тонкий 250 мл	стакан граненый 200 мл	столовая ложка	чайная ложка
мука пшеничная	160	130	30	10
крахмал	180	150	34	12
крупа гречневая	210	165	25	–
крупа манная	200	190	25	–
рис	240	180	30	–
овсяные хлопья	90	80	12	
сахарный песок	230	180	25	10
сахарная пудра	180	140	20	7
соль	–	–	30	10
желатин в порошке	–	–	15	5
какао-порошок	–	–	25	9
кофе молотый	–	–	20	7
мак	150	135	18	5
молотые сухари	125	100	15	5
горох	230	200	–	
фасоль средняя	220	190	–	
чечевица средняя	210	180	–	
миндаль	160	130	25	–
фундук	170	135	30	–
арахис	175	140	35	–
грецкие орехи	140	120	15	–
кедровые орехи	180	160	18	3
вишня	190	150	30	–
клубника	150	120	25	–
малина	140	110	20	–
черная смородина	180	130	30	–

продукт	маленький	средний	большой
луковица	50–90	100–150	160–200
морковка	50–70	80–150	160–250
свекла	100–150	160–240	250–350
помидор	70–90	100–150	160–300
пучок петрушки/кинзы/укропа	12–20	25–30	80–100
пучок шпината	100	200	400
пучок базилика	15–20	35–50	70–100
пучок руколы	30–40	70–90	150–200
пучок тархуна	15–20	25–30	70–90

горсть ≈ 1/2 стакана
щепотка ≈ 1/4–1/3 чайной ложки
1 столовая ложка = 3 чайные ложки
8 столовых ложек = 1/2 стакана

Сладкие соусы

Карамельный соус
для пудингов

16. Алфавитный указатель рецептов

17. Предметный указатель

Серия: Книга Гастронома
Книга Гастронома Рецепты блюд на пару

Координатор проекта и выпускающий редактор Марианна Орлинкова
Главный художник Ирина Лещенко
Ответственный секретарь Сергей Ткаченко
Дизайнер-верстальщик Алексей Клак
Повара-консультанты Илья Жданов, Олег Туркин
Фоторедактор Ольга Куваева
Фотограф Дмитрий Королько
Цветокоррекция Екатерина Панюшкина, Светлана Кузина
Контрольный редактор Элеонора Орлинкова
Редактор Анна Туревская
Корректоры Любовь Никифорова, Татьяна Певнева

ООО «Издательский дом «Бонниер Пабликейшенз»
125993, Москва, Волоколамское ш., д. 2
Тел./факс: (495) 725-10-70
www.gastronom.ru
e-mail: mail@phbp.ru

ООО «Издательство «Эксмо»
127299, Москва, ул. Клары Цеткин, д. 18/5
Тел.: (495) 411-68-86, 956-39-21
www.eksmo.ru
e-mail: info@eksmo.ru

Подписано в печать 05.10.2010. Формат 84х108/16. Гарнитура – Pragmatica
Печать офсетная. Бумага мелованная. Усл. печ. л. – 26,88
Доп.тираж 5 000 экз. Заказ № 250.

ISBN 978-5-699-40963-1

Отпечатано с электронных носителей издательства.
ОАО «Тверской полиграфический комбинат», 170024, г. Тверь, пр-т Ленина, д. 5.
Тел.: (4822) 44-52-03, 44-50-34, тел./факс (4822) 44-42-15
www.tverpk.ru
e-mail: sales@tverpk.ru